透過・拡大も自在にできる!

決定版 かわいいイラストカット集 11000

DVD-ROM付き

グループUYN［著］

ナツメ社

目次

Part 7 植物

Part 8 食べ物

Part 9 建物・風景

Part 10 家具・家電・雑貨・乗り物

Part 11 十二支・星座・話・歌

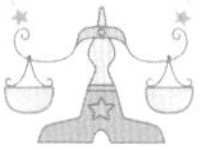

Part 12 マーク・飾り・模様・文字

DVD-ROMを使う前に

付属のDVD-ROMには、各ページのイラストが収録されています。
ここでは、DVD-ROMを使う前に注意してほしいことやフォルダの構成を説明します。

⚠ご使用上の注意

本書に関する使用許諾

★本書に掲載しているイラスト及び付属のDVD-ROMに収録されたデータの著作権・使用許諾権・商標権は、弊社及び著作権者に帰属します。
★本書に掲載しているイラスト及び付属のDVD-ROMに収録されたデータは、営利目的での利用はできません。正規にご購入された個人または、法人·団体が、営利目的ではない、私的な目的（非営利組織や自宅などでの利用）で利用する場合のみ、ご使用できます。
★付属のDVD-ROMのご使用により生じた損害、障害、その他のいかなる事態にも、弊社及びデータ作成者は一切の責任を負いません。

動作環境

★付属のDVD-ROMは、下記のパソコンに対応しています。
Windows10 ～
MacOS11 ～
★このDVD-ROMは、上記OSが工場出荷時からインストールされているパソコンを対象としています。

注意事項

★付属のDVD-ROMは、映像DVDではありませんので、オーディオプレーヤーで再生しないでください。
★DVD-ROMの裏面に傷をつけると、データが読み取れなくなる場合がありますので、取り扱いには十分ご注意ください。
★付属のDVD-ROMに収録されているデータについてのサポートは行っておりません。
★付属のDVD-ROMをご使用いただくには、お使いのパソコンにDVD-ROMドライブ、またはDVD-ROMを読み込めるDVD-ROMドライブが装備されている必要があります。

◉DVD-ROMの構成

●付属のDVD-ROMには、各パートのカラー／モノクロのフォルダにデータを収録しています。

★カラーは「Color」、モノクロは「Mono」というフォルダ名で収録しています。

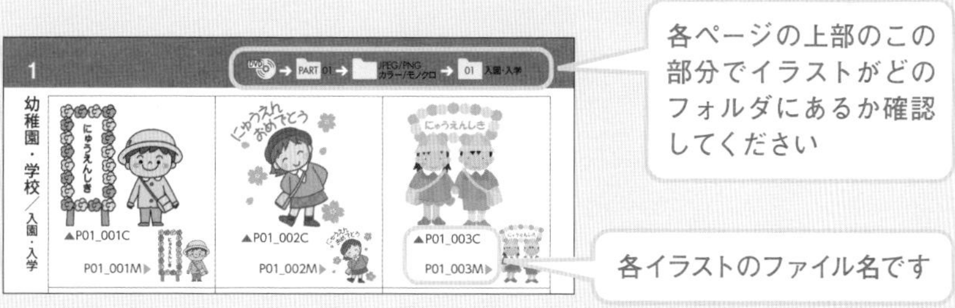

◉収録データ形式（JPEG／PNG）について

●付属DVD-ROMには、JPEGとPNGの2種類のデータ形式が収録されています。JPEGまたはPNGを読み込めるアプリケーションソフト（Microsoft Wordなど）でお使いください。

●JPEGには背景があり（白）、PNGには背景がない（透明）という違いがあります。またJPEG ／ PNGそれぞれに、モノクロデータを収録しています。用途によって必要なものをお使いください。

●カラーのイラストの色調は、パソコンの環境やプリンタの設定等により、本書に掲載している色調と多少異なる場合があります。

DVD-ROMの使い方

付属DVD-ROMのデータの使い方を説明します。
ここではWindows10で、Microsoft Office Word2019を使った手順を紹介します。
※お使いのパソコンの動作環境によって、操作の流れや画面表示が異なる場合がありますが、ご了承ください。

❶パソコンのDVDドライブにDVD-ROMをセットする

付属のDVD-ROMをパソコンのDVD-ROMドライブに入れると、右のような自動再生ダイアログが出てきます。ここでは「何もしない」をクリックして閉じてください。

❷Wordでイラストを選んでデータを読み込む

1 Wordを起動して、メニューから❶「挿入」をクリックし、リボンの中から❷「画像」、❸「このデバイス（D）」をクリックします。

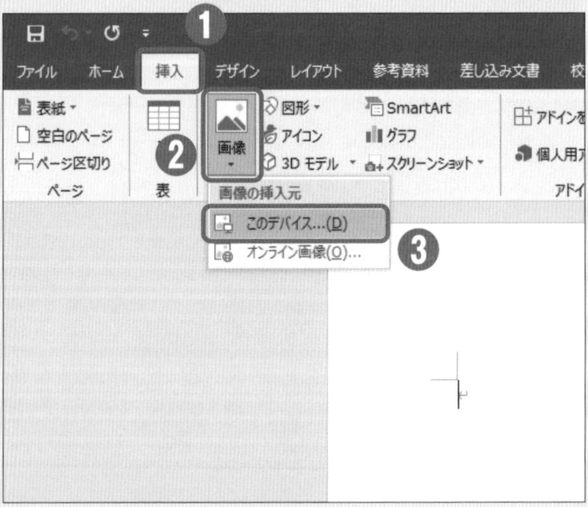

2 「図の挿入」ウインドウが開きます。左のサイドバーから❹「PC」をクリックすると、ウインドウに❺「DVD RW ドライブ」が出てくるので、それをダブルクリックします。

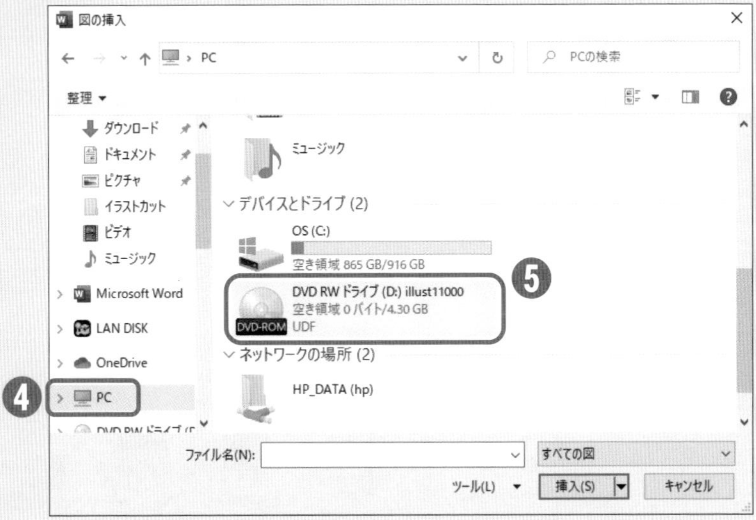

3 印刷したいイラストのあるフォルダを開いていきます。

たとえば、P.98のPART6の「P06_055C」のPNGデータを使う場合は、P.98の上部を見て、❻「PART06」→❼「PNG-Color」→❽「03 動物2」と順にフォルダを選んでダブルクリックします。

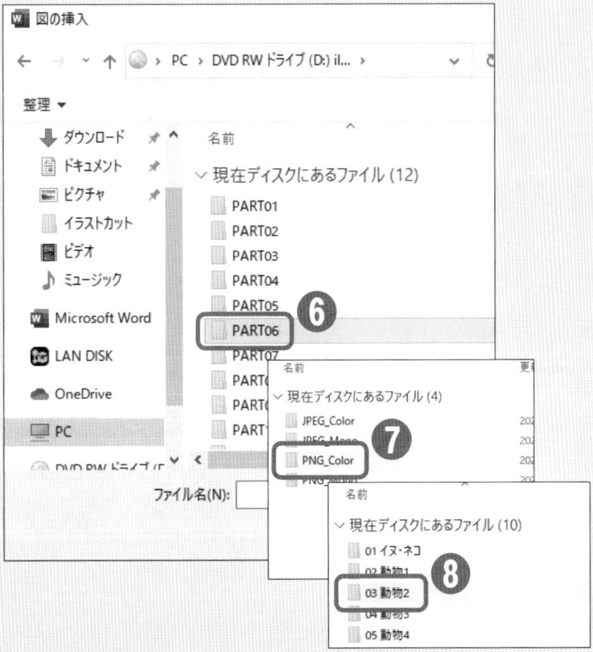

4 ファイルの一覧が表示されます。❾ 表示方法の「その他のオプション」から❿「大アイコン」をクリックすると、画像のプレビューが表示されます。

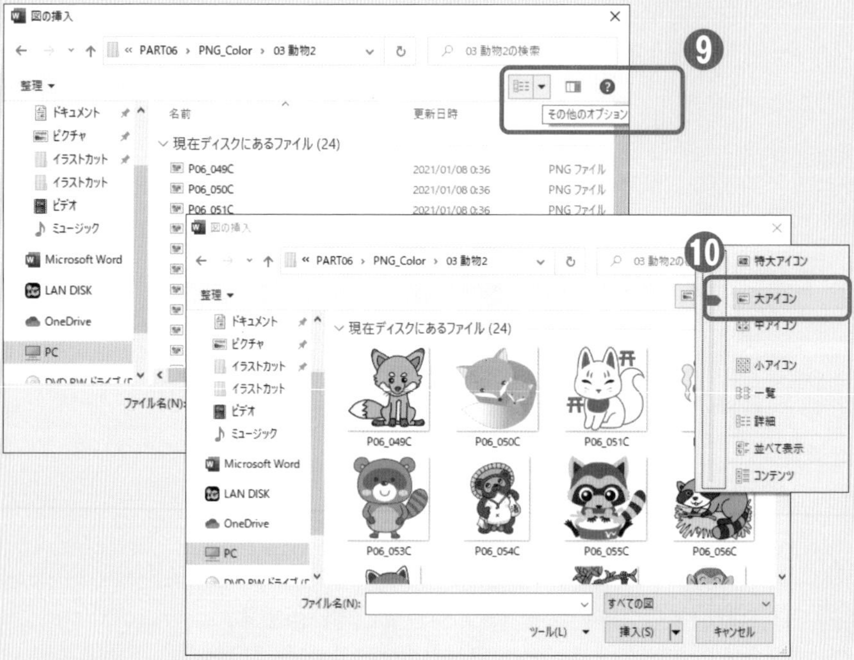

5 ここから使いたい素材（ここでは「P06_055C」）を選んでダブルクリックすると、Wordにデータが読み込まれます。

❸Wordでイラストを移動する

Wordに読み込んだイラストは、そのままでは移動できません。以下の手順で移動させましょう。

1 Wordに読み込んだ❶図をクリックして選択した状態にします。メニューの中から❷「レイアウト」をクリックして、リボンの中から❸「文字列の折り返し」をクリックした状態にします。

2 表示された選択肢の中から、「行内」以外を選びます（ここでは「背面」を選択）。

3 イラストの左上に「⚓マーク」が現れ、イラストをドラッグすると移動することができます。

❹Wordでイラストを拡大縮小する

Wordに読み込んだイラストは、以下の手順で拡大縮小や回転することができます。

1 拡大させる場合は、❶イラストをクリックし、❷枠の隅をドラッグします。ここでは右下隅をドラッグします。

2 イラストが拡大されます。

▲P01_001C

P01_001M▶

▲P01_002C

P01_002M▶

▲P01_003C

P01_003M▶

▲P01_004C

P01_004M▶

▲P01_005C

P01_005M▶

▲P01_006C

P01_006M▶

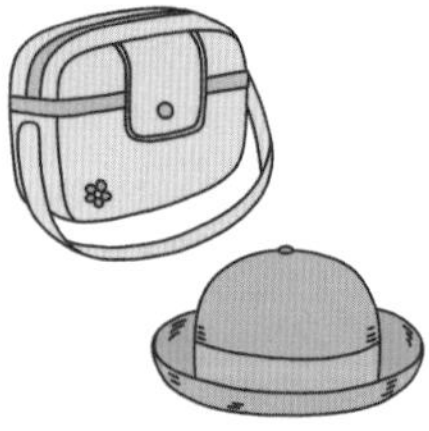

▲P01_007C

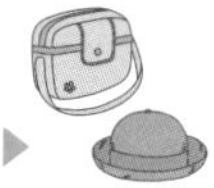

P01_007M▶

▲P01_008C

P01_008M▶

▲P01_009C

P01_009M▶

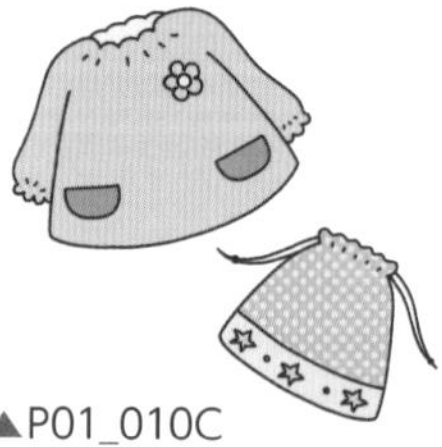

▲P01_010C

P01_010M▶

▲P01_011C

P01_011M▶

▲P01_012C

P01_012M▶

▲P01_013C

P01_013M ▶

▲P01_014C

P01_014M ▶

▲P01_015C

P01_015M ▶

▲P01_016C

P01_016M ▶

▲P01_017C

P01_017M ▶

▲P01_018C

P01_018M ▶

▲P01_019C

P01_019M ▶

▲P01_020C

P01_020M ▶

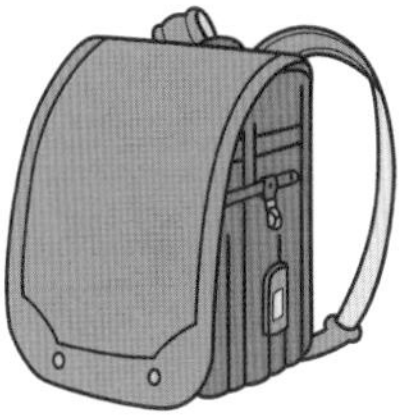
▲P01_021C

P01_021M ▶

▲P01_022C

P01_022M ▶

▲P01_023C

P01_023M ▶

▲P01_024C

P01_024M ▶

▲P01_025C

P01_025M ▶

▲P01_026C

P01_026M ▶

▲P01_027C

P01_027M ▶

▲P01_028C

P01_028M ▶

▲P01_029C

P01_029M ▶

▲P01_030C

P01_030M ▶

▲P01_031C

P01_031M ▶

▲P01_032C

P01_032M ▶

▲P01_033C

P01_033M ▶

▲P01_034C

P01_034M ▶

▲P01_035C

P01_035M ▶

▲P01_036C

P01_036M ▶

▲P01_037C

P01_037M▶

▲P01_038C

P01_038M▶

▲P01_039C

P01_039M▶

▲P01_040C

P01_040M▶

▲P01_041C

P01_041M▶

▲P01_042C

P01_042M▶

▲P01_043C

P01_043M▶

▲P01_044C

P01_044M▶

▲P01_045C

P01_045M▶

▲P01_046C

P01_046M▶

▲P01_047C

P01_047M▶

▲P01_048C

P01_048M▶

▲P01_049C

P01_049M ▶

▲P01_050C

P01_050M ▶

▲P01_051C

P01_051M ▶

▲P01_052C

P01_052M ▶

▲P01_053C

P01_053M ▶

▲P01_054C

P01_054M ▶

▲P01_055C

P01_055M ▶

▲P01_056C

P01_056M ▶

▲P01_057C

P01_057M ▶

▲P01_058C

P01_058M ▶

▲P01_059C

P01_059M ▶

▲P01_060C

P01_060M ▶

▲P01_061C

P01_061M▶

▲P01_062C

P01_062M▶

▲P01_063C

P01_063M▶

▲P01_064C

P01_064M▶

▲P01_065C

P01_065M▶

▲P01_066C

P01_066M▶

▲P01_067C

P01_067M▶

▲P01_068C

P01_068M▶

▲P01_069C

P01_069M▶

▲P01_070C

P01_070M▶

▲P01_071C

P01_071M▶

▲P01_072C

P01_072M▶

▲P01_073C

P01_073M▶

▲P01_074C

P01_074M▶

▲P01_075C

P01_075M▶

▲P01_076C

P01_076M▶

▲P01_077C

P01_077M▶

▲P01_078C

P01_078M▶

▲P01_079C

P01_079M▶

▲P01_080C

P01_080M▶

▲P01_081C

P01_081M▶

▲P01_082C

P01_082M▶

▲P01_083C

P01_083M▶

▲P01_084C

P01_084M▶

▲P01_085C

P01_085M▶

▲P01_086C

P01_086M▶

▲P01_087C

P01_087M▶

▲P01_088C

P01_088M▶

▲P01_089C

P01_089M▶

▲P01_090C

P01_090M▶

▲P01_091C

P01_091M▶

▲P01_092C

P01_092M▶

▲P01_093C

P01_093M▶

▲P01_094C

P01_094M▶

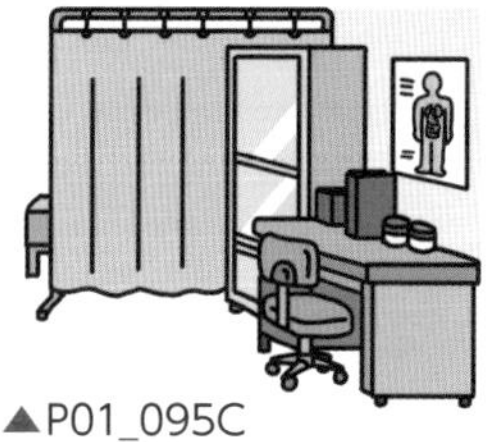

▲P01_095C

P01_095M▶

▲P01_096C

P01_096M▶

▲P01_097C

P01_097M▶

▲P01_098C

P01_098M▶

▲P01_099C

P01_099M▶

▲P01_100C

P01_100M▶

▲P01_101C

P01_101M▶

▲P01_102C

P01_102M▶

▲P01_103C

P01_103M▶

▲P01_104C

P01_104M▶

▲P01_105C

P01_105M▶

▲P01_106C

P01_106M▶

▲P01_107C

P01_107M▶

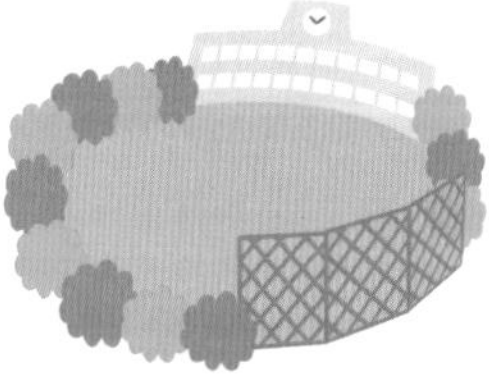

▲P01_108C

P01_108M▶

▲P01_109C

P01_109M ▶

▲P01_110C

P01_110M ▶

▲P01_111C

P01_111M ▶

▲P01_112C

P01_112M ▶

▲P01_113C

P01_113M ▶

▲P01_114C

P01_114M ▶

▲P01_115C

P01_115M ▶

▲P01_116C

P01_116M ▶

▲P01_117C

P01_117M ▶

▲P01_118C

P01_118M ▶

▲P01_119C

P01_119M ▶

▲P01_120C

P01_120M ▶

▲P01_121C

P01_121M▶

▲P01_122C

P01_122M▶

▲P01_123C

P01_123M▶

▲P01_124C

P01_124M▶

▲P01_125C

P01_125M▶

▲P01_126C

P01_126M▶

▲P01_127C

P01_127M▶

▲P01_128C

P01_128M▶

▲P01_129C

P01_129M▶

▲P01_130C

P01_130M▶

▲P01_131C

P01_131M▶

▲P01_132C

P01_132M▶

▲P01_133C

P01_133M ▶

▲P01_134C

P01_134M ▶

▲P01_135C

P01_135M ▶

▲P01_136C

P01_136M ▶

▲P01_137C

P01_137M ▶

▲P01_138C

P01_138M ▶

▲P01_139C

P01_139M ▶

▲P01_140C

P01_140M ▶

▲P01_141C

P01_141M ▶

▲P01_142C

P01_142M ▶

▲P01_143C

P01_143M ▶

▲P01_144C

P01_144M ▶

▲P01_145C

P01_145M▶

▲P01_146C

P01_146M▶

▲P01_147C

P01_147M▶

▲P01_148C

P01_148M▶

▲P01_149C

P01_149M▶

▲P01_150C

P01_150M▶

▲P01_151C

P01_151M▶

▲P01_152C

P01_152M▶

▲P01_153C

P01_153M▶

▲P01_154C

P01_154M▶

▲P01_155C

P01_155M▶

▲P01_156C

P01_156M▶

▲P01_157C

P01_157M ▶

▲P01_158C

P01_158M ▶

▲P01_159C

P01_159M ▶

▲P01_160C

P01_160M ▶

▲P01_161C

P01_161M ▶

▲P01_162C

P01_162M ▶

▲P01_163C

P01_163M ▶

▲P01_164C

P01_164M ▶

▲P01_165C

P01_165M ▶

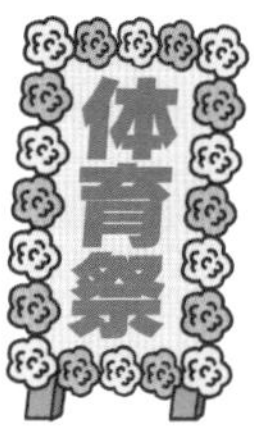

▲P01_166C

P01_166M ▶

▲P01_167C

P01_167M ▶

▲P01_168C

P01_168M ▶

▲P01_169C

P01_169M ▶

▲P01_170C

P01_170M ▶

▲P01_171C

P01_171M ▶

▲P01_172C

P01_172M ▶

▲P01_173C

P01_173M ▶

▲P01_174C

P01_174M ▶

▲P01_175C

P01_175M ▶

▲P01_176C

P01_176M ▶

▲P01_177C

P01_177M ▶

▲P01_178C

P01_178M ▶

▲P01_179C

P01_179M ▶

▲P01_180C

P01_180M ▶

▲P01_181C

P01_181M▶

▲P01_182C

P01_182M▶

▲P01_183C

P01_183M▶

▲P01_184C

P01_184M▶

▲P01_185C

P01_185M▶

▲P01_186C

P01_186M▶

▲P01_187C

P01_187M▶

▲P01_188C

P01_188M▶

▲P01_189C

P01_189M▶

▲P01_190C

P01_190M▶

▲P01_191C

P01_191M▶

▲P01_192C

P01_192M▶

▲P02_001C

P02_001M▶

▲P02_002C

P02_002M▶

▲P02_003C

P02_003M▶

▲P02_004C

P02_004M▶

▲P02_005C

P02_005M▶

▲P02_006C

P02_006M▶

▲P02_007C

P02_007M▶

▲P02_008C

P02_008M▶

▲P02_009C

P02_009M▶

▲P02_010C

P02_010M▶

▲P02_011C

P02_011M▶

▲P02_012C

P02_012M▶

▲P02_013C
P02_013M▶

▲P02_014C
P02_014M▶

▲P02_015C
P02_015M▶

▲P02_016C
P02_016M▶

▲P02_017C
P02_017M▶

▲P02_018C
P02_018M▶

▲P02_019C
P02_019M▶

▲P02_020C
P02_020M▶

▲P02_021C
P02_021M▶

▲P02_022C
P02_022M▶

▲P02_023C
P02_023M▶

▲P02_024C
P02_024M▶

▲P02_025C

P02_025M ▶

▲P02_026C

P02_026M ▶

▲P02_027C

P02_027M ▶

▲P02_028C

P02_028M ▶

▲P02_029C

P02_029M ▶

▲P02_030C

P02_030M ▶

▲P02_031C

P02_031M ▶

▲P02_032C

P02_032M ▶

▲P02_033C

P02_033M ▶

▲P02_034C

P02_034M ▶

▲P02_035C

P02_035M ▶

▲P02_036C

P02_036M ▶

▲P02_037C

P02_037M▶

▲P02_038C

P02_038M▶

▲P02_039C

P02_039M▶

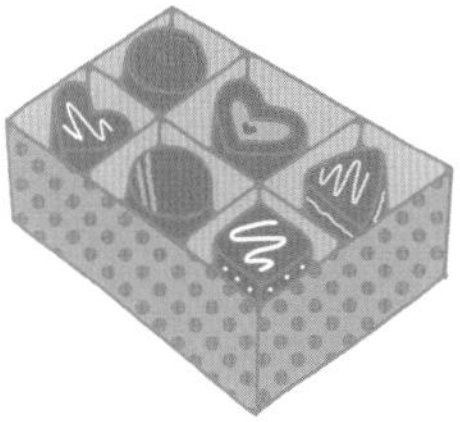

▲P02_040C

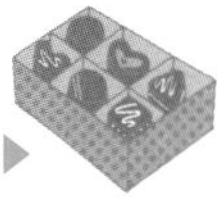

P02_040M▶

▲P02_041C

P02_041M▶

▲P02_042C

P02_042M▶

▲P02_043C

P02_043M▶

▲P02_044C

P02_044M▶

▲P02_045C

P02_045M▶

▲P02_046C

P02_046M▶

▲P02_047C

P02_047M▶

▲P02_048C

P02_048M▶

▲P02_049C

P02_049M ▶

▲P02_050C

P02_050M ▶

▲P02_051C

P02_051M ▶

▲P02_052C

P02_052M ▶

▲P02_053C

P02_053M ▶

▲P02_054C

P02_054M ▶

▲P02_055C

P02_055M ▶

▲P02_056C

P02_056M ▶

▲P02_057C

P02_057M ▶

▲P02_058C

P02_058M ▶

▲P02_059C

P02_059M ▶

▲P02_060C

P02_060M ▶

▲P02_061C

P02_061M ▶

▲P02_062C

P02_062M ▶

▲P02_063C

P02_063M ▶

▲P02_064C

P02_064M ▶

▲P02_065C

P02_065M ▶

▲P02_066C

P02_066M ▶

▲P02_067C

P02_067M ▶

▲P02_068C

P02_068M ▶

▲P02_069C

P02_069M ▶

▲P02_070C

P02_070M ▶

▲P02_071C

P02_071M ▶

▲P02_072C

P02_072M ▶

▲P02_073C

P02_073M▶

▲P02_074C

P02_074M▶

▲P02_075C

P02_075M▶

▲P02_076C

P02_076M▶

▲P02_077C

P02_077M▶

▲P02_078C

P02_078M▶

花祭り

▲P02_079C

P02_079M▶

十三参り

▲P02_080C

P02_080M▶

エイプリルフール

▲P02_081C

P02_081M▶

▲P02_082C

P02_082M▶

▲P02_083C

P02_083M▶

▲P02_084C

P02_084M▶

▲P02_085C
P02_085M▶

▲P02_086C
P02_086M▶

▲P02_087C
P02_087M▶

▲P02_088C
P02_088M▶

▲P02_089C
P02_089M▶

▲P02_090C
P02_090M▶

▲P02_091C
P02_091M▶

▲P02_092C
P02_092M▶

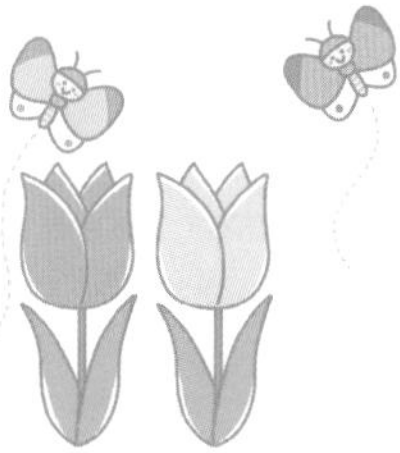
▲P02_093C
P02_093M▶

▲P02_094C
P02_094M▶

▲P02_095C
P02_095M▶

▲P02_096C
P02_096M▶

▲P02_097C

P02_097M ▶

▲P02_098C

P02_098M ▶

▲P02_099C

P02_099M ▶

▲P02_100C

P02_100M ▶

▲P02_101C

P02_101M ▶

▲P02_102C

P02_102M ▶

▲P02_103C

P02_103M ▶

▲P02_104C

P02_104M ▶

▲P02_105C

P02_105M ▶

▲P02_106C

P02_106M ▶

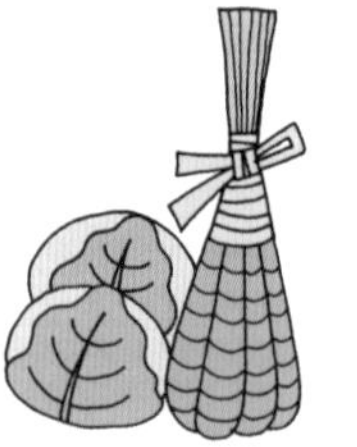

▲P02_107C

P02_107M ▶

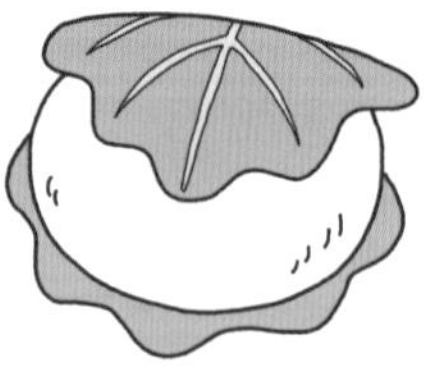

▲P02_108C

P02_108M ▶

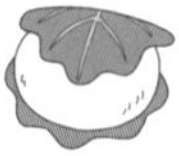

▲P02_109C

P02_109M ▶

▲P02_110C

P02_110M ▶

▲P02_111C

P02_111M ▶

▲P02_112C

P02_112M ▶

▲P02_113C

P02_113M ▶

▲P02_114C

P02_114M ▶

▲P02_115C

P02_115M ▶

▲P02_116C

P02_116M ▶

▲P02_117C

P02_117M ▶

愛鳥週間

▲P02_118C

P02_118M ▶

愛鳥週間

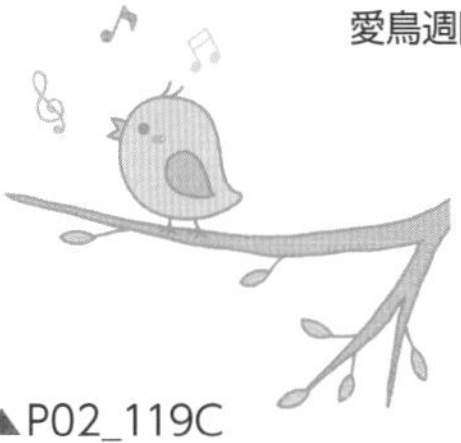

▲P02_119C

P02_119M ▶

みどりの日

▲P02_120C

P02_120M ▶

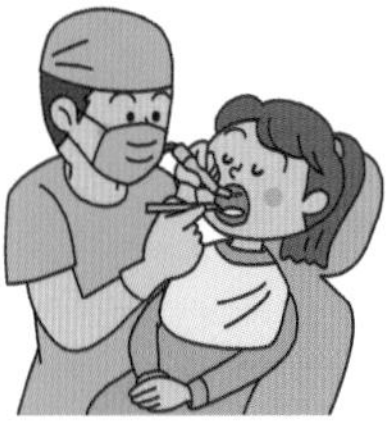

▲P02_121C

P02_121M ▶

▲P02_122C

P02_122M ▶

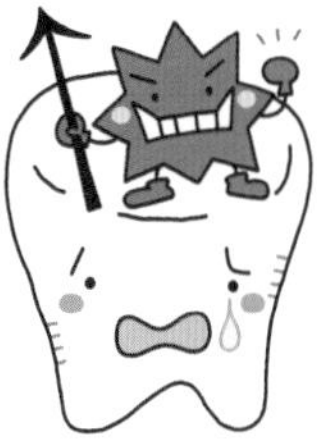

▲P02_123C

P02_123M ▶

▲P02_124C

P02_124M ▶

▲P02_125C

P02_125M ▶

▲P02_126C

P02_126M ▶

▲P02_127C

P02_127M ▶

▲P02_128C

P02_128M ▶

▲P02_129C

P02_129M ▶

▲P02_130C

P02_130M ▶

▲P02_131C

P02_131M ▶

▲P02_132C

P02_132M ▶

▲P02_133C

P02_133M ▶

▲P02_134C

P02_134M ▶

▲P02_135C

P02_135M ▶

時の記念日

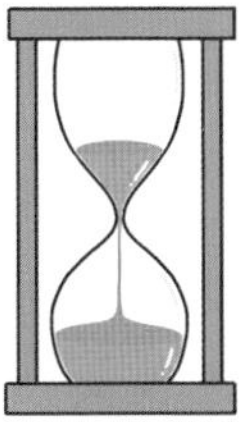

▲P02_136C

P02_136M ▶

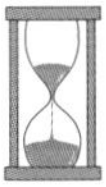

時の記念日

▲P02_137C

P02_137M ▶

▲P02_138C

P02_138M ▶

▲P02_139C

P02_139M ▶

クールビズ

▲P02_140C

P02_140M ▶

クールビズ

▲P02_141C

P02_141M ▶

▲P02_142C

P02_142M ▶

▲P02_143C

P02_143M ▶

▲P02_144C

P02_144M ▶

▲P02_145C

P02_145M ▶

▲P02_146C

P02_146M ▶

▲P02_147C

P02_147M ▶

▲P02_148C

P02_148M ▶

▲P02_149C

P02_149M ▶

▲P02_150C

P02_150M ▶

▲P02_151C

P02_151M ▶

▲P02_152C

P02_152M ▶

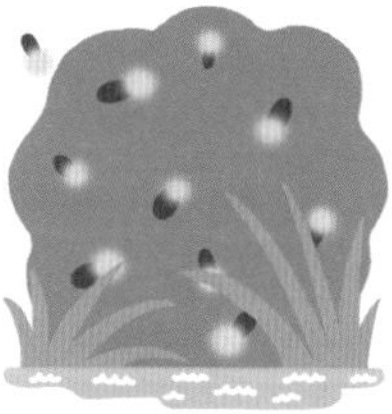

▲P02_153C

P02_153M ▶

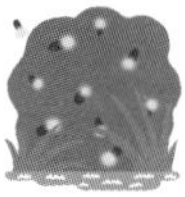

▲P02_154C

P02_154M ▶

▲P02_155C

P02_155M ▶

土用の丑

▲P02_156C

P02_156M ▶

▲P02_157C

P02_157M ▶

▲P02_158C

P02_158M ▶

▲P02_159C

P02_159M ▶

▲P02_160C

P02_160M ▶

▲P02_161C

P02_161M ▶

▲P02_162C

P02_162M ▶

▲P02_163C

P02_163M ▶

▲P02_164C

P02_164M ▶

▲P02_165C

P02_165M ▶

▲P02_166C

P02_166M ▶

▲P02_167C

P02_167M ▶

▲P02_168C

P02_168M ▶

▲P02_169C
P02_169M▶

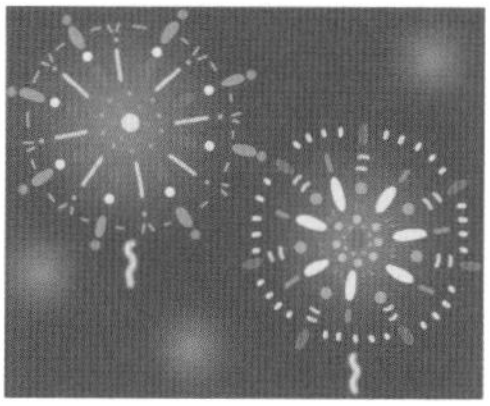
▲P02_170C
P02_170M▶

▲P02_171C
P02_171M▶

▲P02_172C
P02_172M▶

▲P02_173C
P02_173M▶

▲P02_174C
P02_174M▶

▲P02_175C
P02_175M▶

▲P02_176C
P02_176M▶

▲P02_177C
P02_177M▶

▲P02_178C
P02_178M▶

▲P02_179C
P02_179M▶

▲P02_180C
P02_180M▶

▲P02_181C

P02_181M▶

▲P02_182C

P02_182M▶

▲P02_183C

P02_183M▶

▲P02_184C

P02_184M▶

▲P02_185C

P02_185M▶

▲P02_186C

P02_186M▶

▲P02_187C

P02_187M▶

▲P02_188C

P02_188M▶

▲P02_189C

P02_189M▶

▲P02_190C

P02_190M▶

▲P02_191C

P02_191M▶

▲P02_192C

P02_192M▶

▲P02_193C

P02_193M▶

▲P02_194C

P02_194M▶

▲P02_195C

P02_195M▶

▲P02_196C

P02_196M▶

▲P02_197C

P02_197M▶

▲P02_198C

P02_198M▶

▲P02_199C

P02_199M▶

防災の日

▲P02_200C

P02_200M▶

重陽の節句
（菊の節句）

▲P02_201C

P02_201M▶

▲P02_202C

P02_202M▶

▲P02_203C

P02_203M▶

▲P02_204C

P02_204M▶

▲P02_205C

P02_205M▶

▲P02_206C

P02_206M▶

▲P02_207C

P02_207M▶

▲P02_208C

P02_208M▶

▲P02_209C

P02_209M▶

▲P02_210C

P02_210M▶

▲P02_211C

P02_211M▶

▲P02_212C

P02_212M▶

▲P02_213C

P02_213M▶

▲P02_214C

P02_214M▶

▲P02_215C

P02_215M▶

▲P02_216C

P02_216M▶

▲P02_217C

P02_217M▶

▲P02_218C

P02_218M▶

▲P02_219C

P02_219M▶

▲P02_220C

P02_220M▶

▲P02_221C

P02_221M▶

▲P02_222C

P02_222M▶

▲P02_223C

P02_223M▶

えびす講

▲P02_224C

P02_224M▶

菊祭り

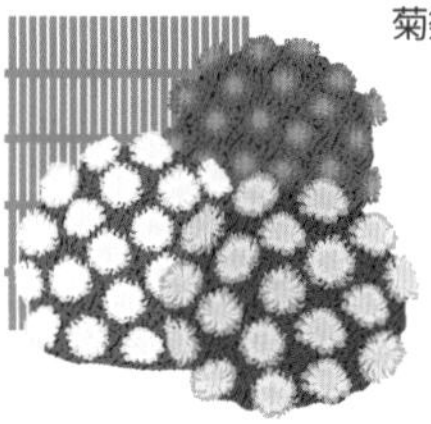

▲P02_225C

P02_225M▶

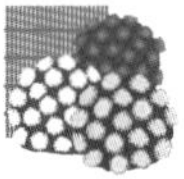

▲P02_226C

P02_226M▶

▲P02_227C

P02_227M▶

▲P02_228C

P02_228M▶

▲P02_229C
P02_229M▶

▲P02_230C
P02_230M▶

▲P02_231C
P02_231M▶

▲P02_232C
P02_232M▶

▲P02_233C
P02_233M▶

▲P02_234C
P02_234M▶

▲P02_235C
P02_235M▶

▲P02_236C
P02_236M▶

▲P02_237C
P02_237M▶

▲P02_238C
P02_238M▶

▲P02_239C
P02_239M▶

▲P02_240C
P02_240M▶

▲P02_241C
P02_241M ▶

▲P02_242C
P02_242M ▶

▲P02_243C
P02_243M ▶

▲P02_244C
P02_244M ▶

▲P02_245C
P02_245M ▶

▲P02_246C
P02_246M ▶

酉の市

▲P02_247C
P02_247M ▶

火災予防運動

▲P02_248C
P02_248M ▶

火災予防運動

▲P02_249C
P02_249M ▶

▲P02_250C
P02_250M ▶

▲P02_251C
P02_251M ▶

▲P02_252C
P02_252M ▶

▲P02_253C

P02_253M ▶

▲P02_254C

P02_254M ▶

▲P02_255C

P02_255M ▶

▲P02_256C

P02_256M ▶

▲P02_257C

P02_257M ▶

▲P02_258C

P02_258M ▶

▲P02_259C

P02_259M ▶

勤労感謝の日

▲P02_260C

P02_260M ▶

感謝祭

▲P02_261C

P02_261M ▶

▲P02_262C

P02_262M ▶

▲P02_263C

P02_263M ▶

▲P02_264C

P02_264M ▶

▲P02_265C

P02_265M ▶

▲P02_266C

P02_266M ▶

▲P02_267C

P02_267M ▶

▲P02_268C

P02_268M ▶

▲P02_269C

P02_269M ▶

▲P02_270C

P02_270M ▶

▲P02_271C

P02_271M ▶

▲P02_272C

P02_272M ▶

▲P02_273C

P02_273M ▶

▲P02_274C

P02_274M ▶

▲P02_275C

P02_275M ▶

羽子板市

▲P02_276C

P02_276M ▶

▲P02_277C

P02_277M▶

▲P02_278C

P02_278M▶

▲P02_279C

P02_279M▶

▲P02_280C

P02_280M▶

▲P02_281C

P02_281M▶

▲P02_282C

P02_282M▶

▲P02_283C

P02_283M▶

▲P02_284C

P02_284M▶

▲P02_285C

P02_285M▶

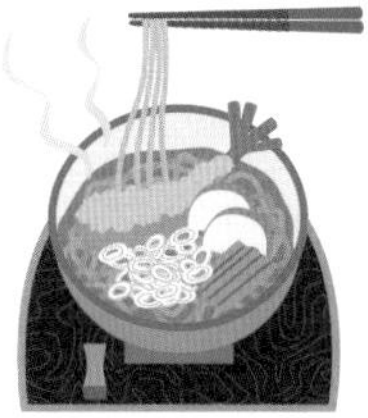
▲P02_286C

P02_286M▶

▲P02_287C

P02_287M▶

▲P02_288C

P02_288M▶

▲P03_001C

P03_001M ▶

▲P03_002C

P03_002M ▶

▲P03_003C

P03_003M ▶

▲P03_004C

P03_004M ▶

▲P03_005C

P03_005M ▶

▲P03_006C

P03_006M ▶

▲P03_007C

P03_007M ▶

▲P03_008C

P03_008M ▶

▲P03_009C

P03_009M ▶

▲P03_010C

P03_010M ▶

▲P03_011C

P03_011M ▶

▲P03_012C

P03_012M ▶

▲P03_013C

P03_013M ▶

▲P03_014C

P03_014M ▶

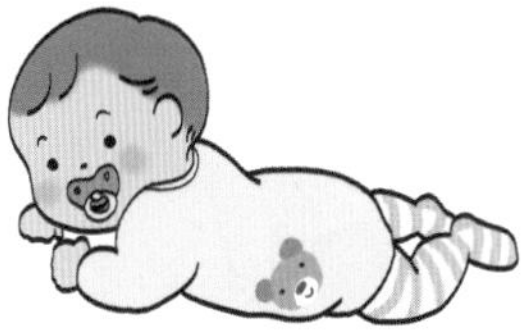

▲P03_015C

P03_015M ▶

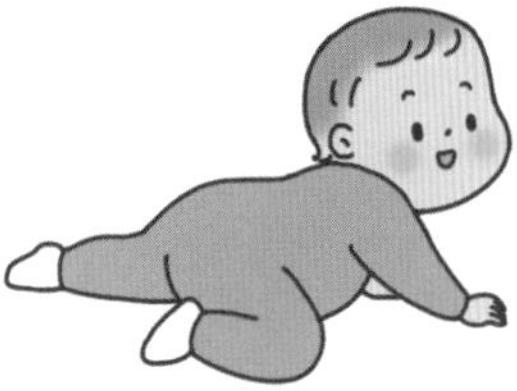

▲P03_016C

P03_016M ▶

▲P03_017C

P03_017M ▶

▲P03_018C

P03_018M ▶

▲P03_019C

P03_019M ▶

▲P03_020C

P03_020M ▶

▲P03_021C

P03_021M ▶

▲P03_022C

P03_022M ▶

▲P03_023C

P03_023M ▶

▲P03_024C

P03_024M ▶

▲P03_025C

P03_025M ▶

▲P03_026C

P03_026M ▶

▲P03_027C

P03_027M ▶

▲P03_028C

P03_028M ▶

▲P03_029C

P03_029M ▶

▲P03_030C

P03_030M ▶

▲P03_031C

P03_031M ▶

▲P03_032C

P03_032M ▶

▲P03_033C

P03_033M ▶

▲P03_034C

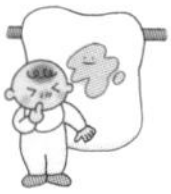

P03_034M ▶

▲P03_035C

P03_035M ▶

▲P03_036C

P03_036M ▶

▲P03_037C
P03_037M ▶

▲P03_038C
P03_038M ▶

▲P03_039C
P03_039M ▶

▲P03_040C
P03_040M ▶

▲P03_041C
P03_041M ▶

▲P03_042C
P03_042M ▶

▲P03_043C
P03_043M ▶

▲P03_044C
P03_044M ▶

▲P03_045C
P03_045M ▶

▲P03_046C
P03_046M ▶

▲P03_047C
P03_047M ▶

▲P03_048C
P03_048M ▶

▲P03_049C
P03_049M ▶

▲P03_050C
P03_050M ▶

▲P03_051C
P03_051M ▶

▲P03_052C
P03_052M ▶

▲P03_053C
P03_053M ▶

▲P03_054C
P03_054M ▶

▲P03_055C
P03_055M ▶

▲P03_056C
P03_056M ▶

▲P03_057C
P03_057M ▶

▲P03_058C
P03_058M ▶

▲P03_059C
P03_059M ▶

▲P03_060C
P03_060M ▶

▲P03_061C

P03_061M ▶

▲P03_062C

P03_062M ▶

▲P03_063C

P03_063M ▶

▲P03_064C

P03_064M ▶

▲P03_065C

P03_065M ▶

▲P03_066C

P03_066M ▶

▲P03_067C

P03_067M ▶

▲P03_068C

P03_068M ▶

▲P03_069C

P03_069M ▶

▲P03_070C

P03_070M ▶

▲P03_071C

P03_071M ▶

▲P03_072C

P03_072M ▶

▲P03_073C

P03_073M ▶

▲P03_074C

P03_074M ▶

▲P03_075C

P03_075M ▶

▲P03_076C

P03_076M ▶

▲P03_077C

P03_077M ▶

▲P03_078C

P03_078M ▶

▲P03_079C

P03_079M ▶

▲P03_080C

P03_080M ▶

▲P03_081C

P03_081M ▶

▲P03_082C

P03_082M ▶

▲P03_083C

P03_083M ▶

▲P03_084C

P03_084M ▶

▲P03_085C

P03_085M ▶

▲P03_086C

P03_086M ▶

▲P03_087C

P03_087M ▶

▲P03_088C

P03_088M ▶

▲P03_089C

P03_089M ▶

▲P03_090C

P03_090M ▶

▲P03_091C

P03_091M ▶

▲P03_092C

P03_092M ▶

▲P03_093C

P03_093M ▶

▲P03_094C

P03_094M ▶

▲P03_095C

P03_095M ▶

▲P03_096C

P03_096M ▶

▲P03_097C

P03_097M ▶

▲P03_098C

P03_098M ▶

▲P03_099C

P03_099M ▶

▲P03_100C

P03_100M ▶

▲P03_101C

P03_101M ▶

▲P03_102C

P03_102M ▶

▲P03_103C

P03_103M ▶

▲P03_104C

P03_104M ▶

▲P03_105C

P03_105M ▶

▲P03_106C

P03_106M ▶

▲P03_107C

P03_107M ▶

▲P03_108C

P03_108M ▶

▲P03_109C

P03_109M▶

▲P03_110C

P03_110M▶

▲P03_111C

P03_111M▶

▲P03_112C

P03_112M▶

▲P03_113C

P03_113M▶

▲P03_114C

P03_114M▶

▲P03_115C

P03_115M▶

▲P03_116C

P03_116M▶

▲P03_117C

P03_117M▶

▲P03_118C

P03_118M▶

▲P03_119C

P03_119M▶

▲P03_120C

P03_120M▶

▲P03_121C

P03_121M▶

▲P03_122C

P03_122M▶

▲P03_123C

P03_123M▶

▲P03_124C

P03_124M▶

▲P03_125C

P03_125M▶

▲P03_126C

P03_126M▶

▲P03_127C

P03_127M▶

▲P03_128C

P03_128M▶

▲P03_129C

P03_129M▶

▲P03_130C

P03_130M▶

▲P03_131C

P03_131M▶

▲P03_132C

P03_132M▶

▲P03_133C
P03_133M▶

▲P03_134C
P03_134M▶

▲P03_135C
P03_135M▶

▲P03_136C
P03_136M▶

▲P03_137C
P03_137M▶

▲P03_138C
P03_138M▶

▲P03_139C
P03_139M▶

▲P03_140C
P03_140M▶

▲P03_141C
P03_141M▶

▲P03_142C
P03_142M▶

▲P03_143C
P03_143M▶

▲P03_144C
P03_144M▶

▲P04_001C
P04_001M▶

▲P04_002C
P04_002M▶

▲P04_003C
P04_003M▶

▲P04_004C
P04_004M▶

▲P04_005C
P04_005M▶

▲P04_006C
P04_006M▶

▲P04_007C
P04_007M▶

▲P04_008C
P04_008M▶

▲P04_009C
P04_009M▶

▲P04_010C
P04_010M▶

▲P04_011C
P04_011M▶

▲P04_012C
P04_012M▶

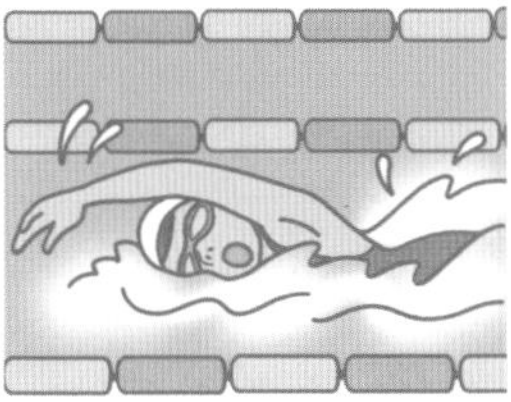
▲P04_013C

P04_013M▶

▲P04_014C

P04_014M▶

▲P04_015C

P04_015M▶

▲P04_016C

P04_016M▶

▲P04_017C

P04_017M▶
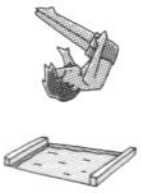

▲P04_018C

P04_018M▶

▲P04_019C

P04_019M▶

▲P04_020C

P04_020M▶

▲P04_021C

P04_021M▶

▲P04_022C

P04_022M▶

▲P04_023C

P04_023M▶

▲P04_024C

P04_024M▶

▲P04_025C

P04_025M▶

▲P04_026C

P04_026M▶

▲P04_027C

P04_027M▶

▲P04_028C

P04_028M▶

▲P04_029C

P04_029M▶

▲P04_030C

P04_030M▶

▲P04_031C

P04_031M▶

▲P04_032C

P04_032M▶

▲P04_033C

P04_033M▶

▲P04_034C

P04_034M▶

▲P04_035C

P04_035M▶

▲P04_036C

P04_036M▶

▲P04_037C

P04_037M▶

▲P04_038C

P04_038M▶

▲P04_039C

P04_039M▶

▲P04_040C

P04_040M▶

▲P04_041C

P04_041M▶

▲P04_042C

P04_042M▶

▲P04_043C

P04_043M▶

▲P04_044C

P04_044M▶

▲P04_045C

P04_045M▶

▲P04_046C

P04_046M▶

▲P04_047C

P04_047M▶

▲P04_048C

P04_048M▶

▲P04_049C

P04_049M ▶

▲P04_050C

P04_050M ▶

ラクロス

▲P04_051C

P04_051M ▶

▲P04_052C

P04_052M ▶

▲P04_053C

P04_053M ▶

▲P04_054C

P04_054M ▶

▲P04_055C

P04_055M ▶

▲P04_056C

P04_056M ▶

▲P04_057C

P04_057M ▶

テコンドー

▲P04_058C

P04_058M ▶

フェンシング

▲P04_059C

P04_059M ▶

▲P04_060C

P04_060M ▶

▲P04_061C

P04_061M▶

▲P04_062C

P04_062M▶

▲P04_063C

P04_063M▶

▲P04_064C

P04_064M▶

▲P04_065C

P04_065M▶

▲P04_066C

P04_066M▶

バレエ

▲P04_067C

P04_067M▶

トランポリン

▲P04_068C

P04_068M▶

▲P04_069C

P04_069M▶

弓道

▲P04_070C

P04_070M▶

▲P04_071C

P04_071M▶

▲P04_072C

P04_072M▶

▲P04_073C

P04_073M ▶

▲P04_074C

P04_074M ▶

▲P04_075C

P04_075M ▶

▲P04_076C

P04_076M ▶

▲P04_077C

P04_077M ▶

▲P04_078C

P04_078M ▶

雪上バイク

▲P04_079C

P04_079M ▶

ボブスレー

▲P04_080C

P04_080M ▶

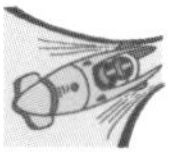

▲P04_081C

P04_081M ▶

空手

▲P04_082C

P04_082M ▶

▲P04_083C

P04_083M ▶

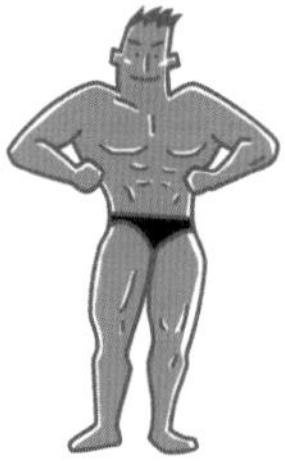

▲P04_084C

P04_084M ▶

▲P04_085C

P04_085M ▶

▲P04_086C

P04_086M ▶

▲P04_087C

P04_087M ▶

アイスホッケー

▲P04_088C

P04_088M ▶

カーリング

▲P04_089C

P04_089M ▶

カーリング

▲P04_090C

P04_090M ▶

▲P04_091C

P04_091M ▶

▲P04_092C

P04_092M ▶

▲P04_093C

P04_093M ▶

義足ランナー

▲P04_094C

P04_094M ▶

車いすバスケ

▲P04_095C

P04_095M ▶

ボッチャ

▲P04_096C

P04_096M ▶

▲P04_097C

P04_097M ▶

▲P04_098C

P04_098M ▶

▲P04_099C

P04_099M ▶

▲P04_100C

P04_100M ▶

▲P04_101C

P04_101M ▶

仏像鑑賞

▲P04_102C

P04_102M ▶

▲P04_103C

P04_103M ▶

▲P04_104C

P04_104M ▶

▲P04_105C

P04_105M ▶

▲P04_106C

P04_106M ▶

ダイビング

▲P04_107C

P04_107M ▶

シュノーケル

▲P04_108C

P04_108M ▶

▲P04_109C

P04_109M ▶

▲P04_110C

P04_110M ▶

▲P04_111C

P04_111M ▶

▲P04_112C

P04_112M ▶

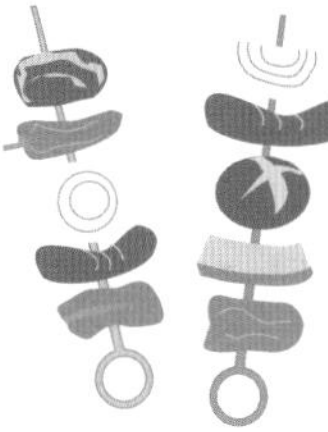

▲P04_113C

P04_113M ▶

▲P04_114C

P04_114M ▶

▲P04_115C

P04_115M ▶

▲P04_116C

P04_116M ▶

▲P04_117C

P04_117M ▶

▲P04_118C

P04_118M ▶

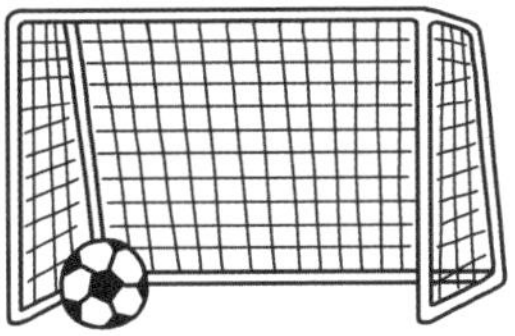

▲P04_119C

P04_119M ▶

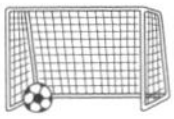

▲P04_120C

P04_120M ▶

ウォーキング

▲P04_121C

P04_121M ▶

▲P04_122C

P04_122M ▶

▲P04_123C

P04_123M ▶

▲P04_124C

P04_124M ▶

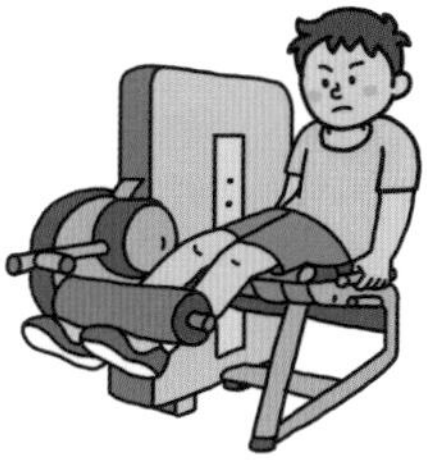

▲P04_125C

P04_125M ▶

▲P04_126C

P04_126M ▶

▲P04_127C

P04_127M ▶

▲P04_128C

P04_128M ▶

▲P04_129C

P04_129M ▶

▲P04_130C

P04_130M ▶

▲P04_131C

P04_131M ▶

▲P04_132C

P04_132M ▶

▲P04_133C

P04_133M ▶

▲P04_134C

P04_134M ▶

▲P04_135C

P04_135M ▶

▲P04_136C

P04_136M ▶

▲P04_137C

P04_137M ▶

▲P04_138C

P04_138M ▶

▲P04_139C

P04_139M ▶

▲P04_140C

P04_140M ▶

野球観戦

▲P04_141C

P04_141M ▶

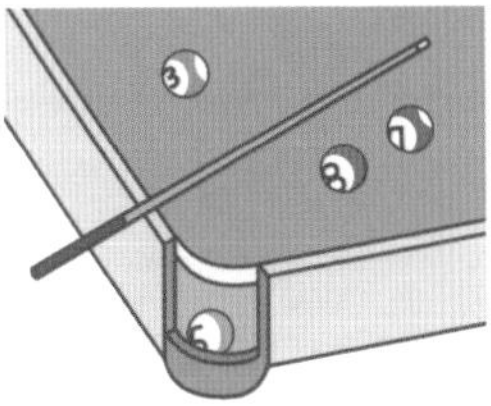

▲P04_142C

P04_142M ▶

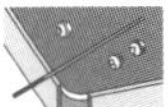

▲P04_143C

P04_143M ▶

▲P04_144C

P04_144M ▶

▲P04_145C

P04_145M ▶

▲P04_146C

P04_146M ▶

▲P04_147C

P04_147M ▶

ガーデニング

▲P04_148C

P04_148M ▶

家庭菜園

▲P04_149C

P04_149M ▶

そば打ち

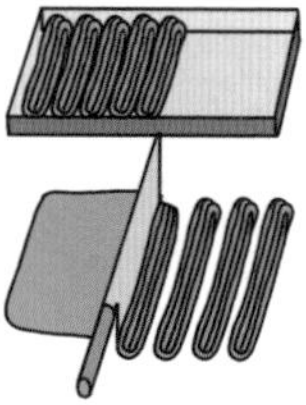

▲P04_150C

P04_150M ▶

手話

▲P04_151C

P04_151M ▶

▲P04_152C

P04_152M ▶

陶芸

▲P04_153C

P04_153M ▶

水墨画

▲P04_154C

P04_154M ▶

▲P04_155C

P04_155M ▶

着付け

▲P04_156C

P04_156M ▶

▲P04_157C

P04_157M▶

▲P04_158C

P04_158M▶

▲P04_159C

P04_159M▶

▲P04_160C

P04_160M▶

▲P04_161C

P04_161M▶

▲P04_162C

P04_162M▶

音楽鑑賞

▲P04_163C

P04_163M▶

▲P04_164C

P04_164M▶

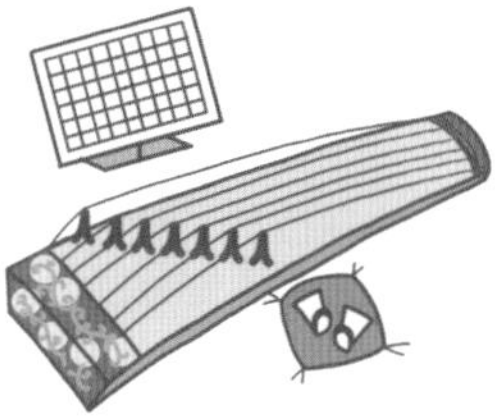

▲P04_165C

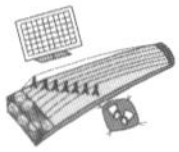

P04_165M▶

▲P04_166C

P04_166M▶

ゴスペル

▲P04_167C

P04_167M▶

読書

▲P04_168C

P04_168M▶

▲P04_169C

P04_169M ▶

美術館めぐり
（絵画鑑賞）

▲P04_170C

P04_170M ▶

観劇

▲P04_171C

P04_171M ▶

▲P04_172C

P04_172M ▶

▲P04_173C

P04_173M ▶

盆栽

▲P04_174C

P04_174M ▶

俳句

▲P04_175C

P04_175M ▶

歌舞伎

▲P04_176C

P04_176M ▶

落語

▲P04_177C

P04_177M ▶

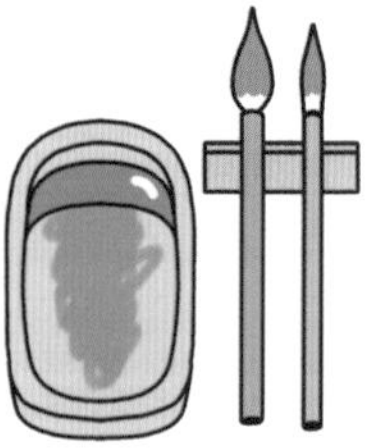

▲P04_178C

P04_178M ▶

▲P04_179C

P04_179M ▶

▲P04_180C

P04_180M ▶

▲P04_181C

P04_181M▶

▲P04_182C

P04_182M▶

▲P04_183C

P04_183M▶

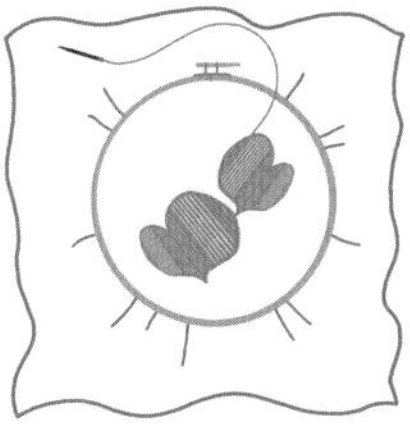

▲P04_184C

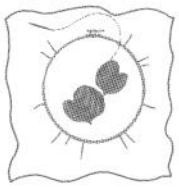

P04_184M▶

▲P04_185C

P04_185M▶

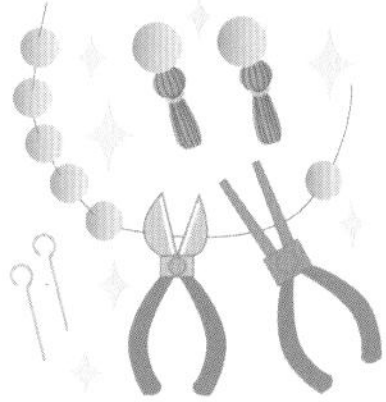

▲P04_186C

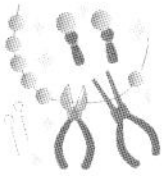

P04_186M▶

パソコンでイラスト作成

▲P04_187C

P04_187M▶

ゲーム

▲P04_188C

P04_188M▶

フィギュア

▲P04_189C

P04_189M▶

▲P04_190C

P04_190M▶

手品

▲P04_191C

P04_191M▶

プラモデル作り

▲P04_192C

P04_192M▶

▲P05_001C

P05_001M▶

▲P05_002C

P05_002M▶

▲P05_003C

P05_003M▶

▲P05_004C

P05_004M▶

▲P05_005C

P05_005M▶

▲P05_006C

P05_006M▶

車掌

▲P05_007C

P05_007M▶

車掌

▲P05_008C

P05_008M▶

▲P05_009C

P05_009M▶

▲P05_010C

P05_010M▶

▲P05_011C

P05_011M▶

▲P05_012C

P05_012M▶

▲P05_013C

P05_013M▶

▲P05_014C

P05_014M▶

▲P05_015C

P05_015M▶

看護師

▲P05_016C

P05_016M▶

看護師

▲P05_017C

P05_017M▶

▲P05_018C

P05_018M▶

▲P05_019C

P05_019M▶

教師

▲P05_020C

P05_020M▶

▲P05_021C

P05_021M▶

▲P05_022C

P05_022M▶

警備員

▲P05_023C

P05_023M▶

整備士

▲P05_024C

P05_024M▶

弁護士

▲P05_025C

P05_025M▶

介護士

▲P05_026C

P05_026M▶

保育士

▲P05_027C

P05_027M▶

▲P05_028C

P05_028M▶

▲P05_029C

P05_029M▶

トリマー

▲P05_030C

P05_030M▶

▲P05_031C

P05_031M▶

▲P05_032C

P05_032M▶

作家

▲P05_033C

P05_033M▶

▲P05_034C

P05_034M▶

漫画家

▲P05_035C

P05_035M▶

▲P05_036C

P05_036M▶

▲P05_037C

P05_037M ▶

▲P05_038C

P05_038M ▶

▲P05_039C

P05_039M ▶

モデル

▲P05_040C

P05_040M ▶

▲P05_041C

P05_041M ▶

▲P05_042C

P05_042M ▶

漫才師

▲P05_043C

P05_043M ▶

▲P05_044C

P05_044M ▶

アナウンサー
司会者

▲P05_045C

P05_045M ▶

▲P05_046C

P05_046M ▶

▲P05_047C

P05_047M ▶

▲P05_048C

P05_048M ▶

▲P05_049C

P05_049M ▶

▲P05_050C

P05_050M ▶

SE
プログラマー

▲P05_051C

P05_051 ▶

▲P05_052C

P05_052M ▶

▲P05_053C

P05_053M ▶

▲P05_054C

P05_054M ▶

▲P05_055C

P05_055M ▶

▲P05_056C

P05_056M ▶

▲P05_057C

P05_057M ▶

▲P05_058C

P05_058M ▶

農家

▲P05_059C

P05_059M ▶

漁師

▲P05_060C

P05_060M ▶

シェフ

▲P05_061C

P05_061M▶

パティシエ

▲P05_062C

P05_062M▶

▲P05_063C

P05_063M▶

▲P05_064C

P05_064M▶

▲P05_065C

P05_065M▶

ウエイター

▲P05_066C

P05_066M▶

▲P05_067C

P05_067M▶

▲P05_068C

P05_068M▶

大工

▲P05_069C

P05_069M▶

溶接工

▲P05_070C

P05_070M▶

▲P05_071C

P05_071M▶

▲P05_072C

P05_072M▶

▲P05_073C
P05_073M ▶

▲P05_074C
P05_074M ▶

▲P05_075C
P05_075M ▶
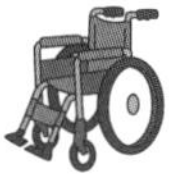

▲P05_076C
P05_076M ▶

▲P05_077C
P05_077M ▶

▲P05_078C
P05_078M ▶

▲P05_079C
P05_079M ▶

▲P05_080C
P05_080M ▶

▲P05_081C
P05_081M ▶

点字

▲P05_082C
P05_082M ▶

手話

▲P05_083C
P05_083M ▶

▲P05_084C
P05_084M ▶

補聴器

▲P05_085C

P05_085M ▶

補聴器

▲P05_086C

P05_086M ▶

▲P05_087C

P05_087M ▶

▲P05_088C

P05_088M ▶

▲P05_089C

P05_089M ▶

▲P05_090C

P05_090M ▶

▲P05_091C

P05_091M ▶

▲P05_092C

P05_092M ▶

▲P05_093C

P05_093M ▶

▲P05_094C

P05_094M ▶

▲P05_095C

P05_095M ▶

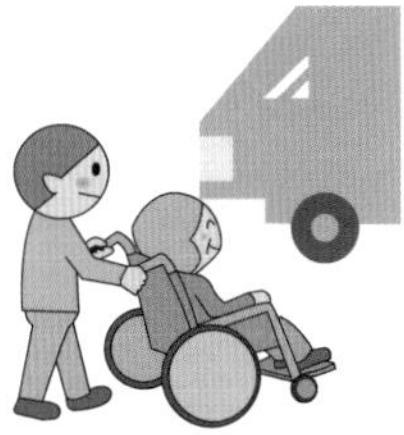

▲P05_096C

P05_096M ▶

▲P05_097C

P05_097M ▶

▲P05_098C

P05_098M ▶

▲P05_099C

P05_099M ▶

▲P05_100C

P05_100M ▶

▲P05_101C

P05_101M ▶

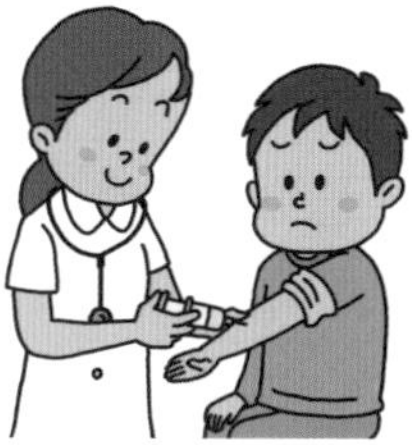

▲P05_102C

P05_102M ▶

▲P05_103C

P05_103M ▶

▲P05_104C

P05_104M ▶

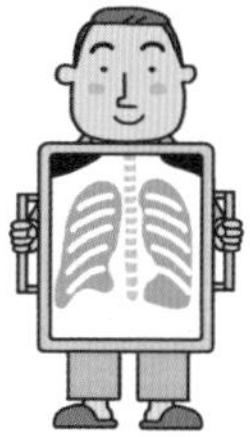

▲P05_105C

P05_105M ▶

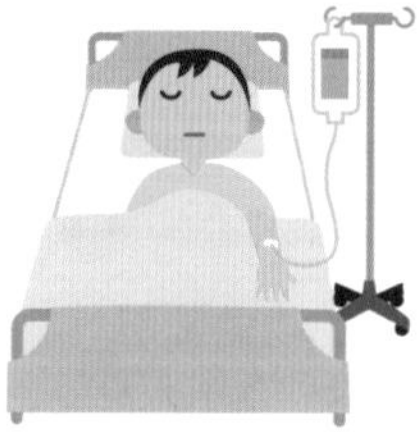

▲P05_106C

P05_106M ▶

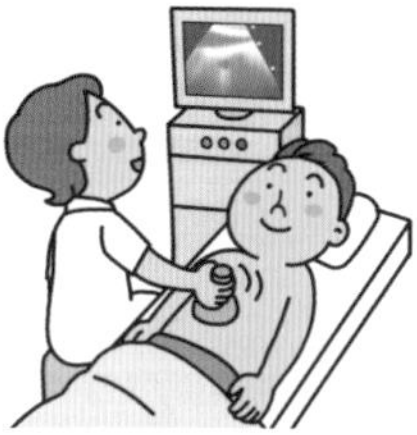

▲P05_107C

P05_107M ▶
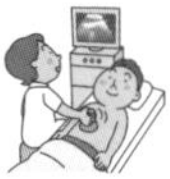

▲P05_108C

P05_108M ▶

▲P05_109C
P05_109M ▶

▲P05_110C
P05_110M ▶

▲P05_111C
P05_111M ▶

▲P05_112C
P05_112M ▶

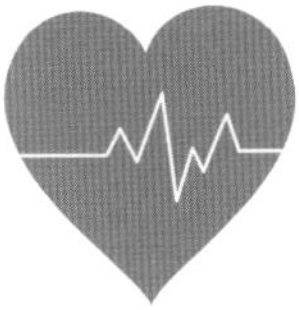
▲P05_113C
P05_113M ▶

▲P05_114C
P05_114M ▶

▲P05_115C
P05_115M ▶

▲P05_116C
P05_116M ▶

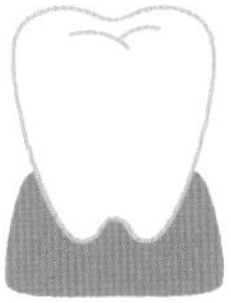
▲P05_117C
P05_117M ▶

▲P05_118C
P05_118M ▶

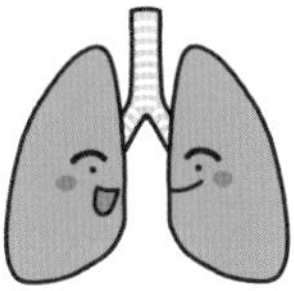
▲P05_119C
P05_119M ▶
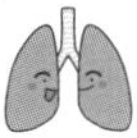

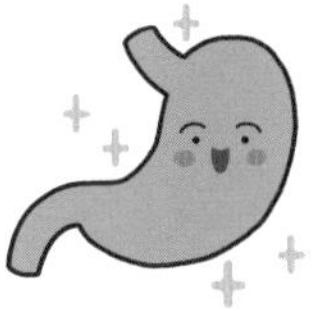
▲P05_120C
P05_120M ▶

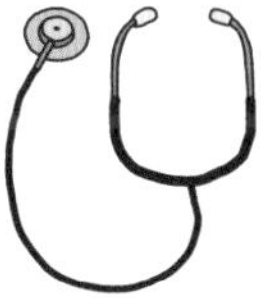
▲P05_121C
P05_121M ▶
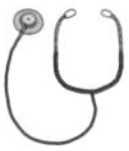

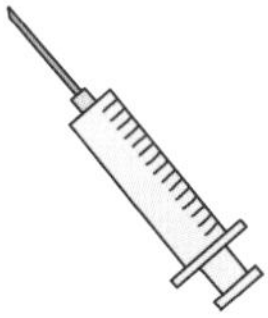
▲P05_122C
P05_122M ▶

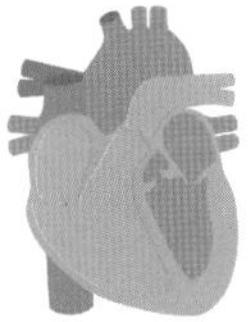
▲P05_123C
P05_123M ▶
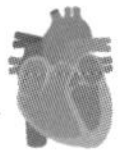

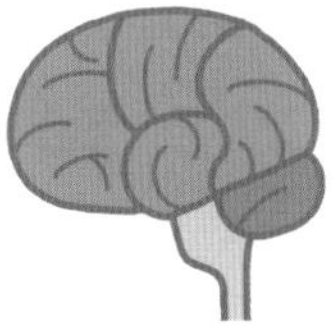
▲P05_124C
P05_124M ▶
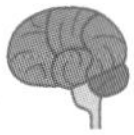

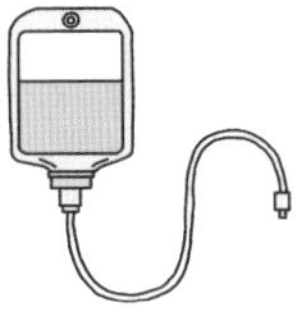
▲P05_125C
P05_125M ▶
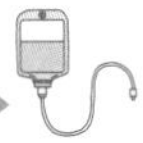

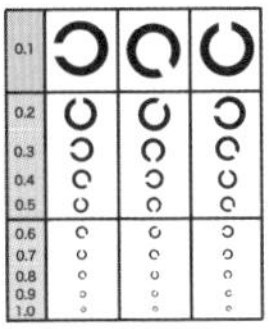

▲P05_126C
P05_126M ▶
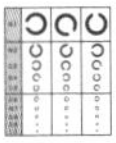

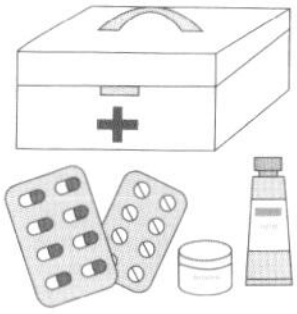
▲P05_127C
P05_127M ▶

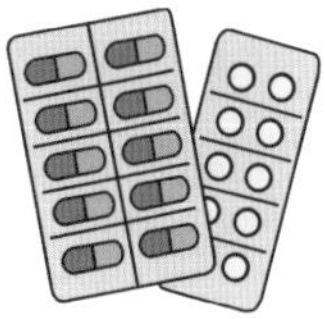
▲P05_128C
P05_128M ▶
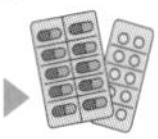

▲P05_129C

P05_129M▶

▲P05_130C

P05_130M▶

▲P05_131C

P05_131M▶

▲P05_132C

P05_132M▶

▲P05_133C

P05_133M▶

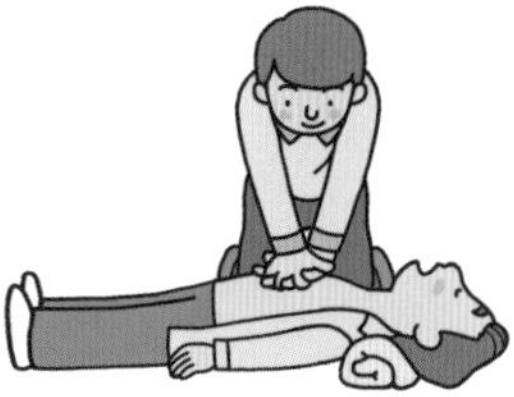

▲P05_134C

P05_134M▶

▲P05_135C

P05_135M▶

▲P05_136C

P05_136M▶

▲P05_137C

P05_137M▶

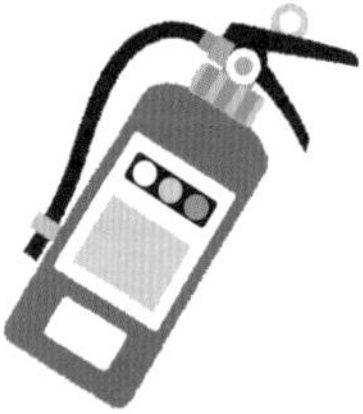

▲P05_138C

P05_138M▶

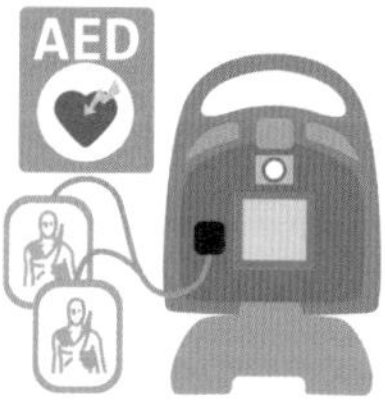

▲P05_139C

P05_139M▶

▲P05_140C

P05_140M▶

▲P05_141C

P05_141M▶

▲P05_142C

P05_142M▶

▲P05_143C

P05_143M▶

▲P05_144C

P05_144M▶

▲P05_145C

P05_145M▶

▲P05_146C

P05_146M▶

▲P05_147C

P05_147M▶

▲P05_148C

P05_148M▶

▲P05_149C

P05_149M▶

▲P05_150C

P05_150M▶

▲P05_151C

P05_151M▶

▲P05_152C

P05_152M▶

▲P05_153C
P05_153M ▶

▲P05_154C
P05_154M ▶

▲P05_155C
P05_155M ▶

▲P05_156C
P05_156M ▶

▲P05_157C
P05_157M ▶

▲P05_158C
P05_158M ▶

ボランティア

▲P05_159C
P05_159M ▶

ボランティア

▲P05_160C
P05_160M ▶

ボランティア

▲P05_161C
P05_161M ▶

ボランティア

▲P05_162C
P05_162M ▶

ボランティア

▲P05_163C
P05_163M ▶

▲P05_164C
P05_164M ▶

▲P05_165C
P05_165M ▶

▲P05_166C
P05_166M ▶

▲P05_167C
P05_167M ▶

▲P05_168C
P05_168M ▶

▲P05_169C
P05_169M ▶

▲P05_170C
P05_170M ▶

▲P05_171C
P05_171M ▶

▲P05_172C
P05_172M ▶

▲P05_173C
P05_173M ▶

▲P05_174C
P05_174M ▶

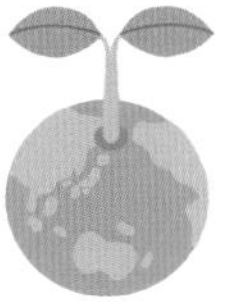
▲P05_175C
P05_175M ▶

▲P05_176C
P05_176M ▶

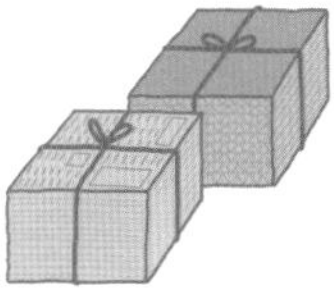
▲P05_177C
P05_177M ▶

▲P05_178C
P05_178M ▶

▲P05_179C
P05_179M ▶

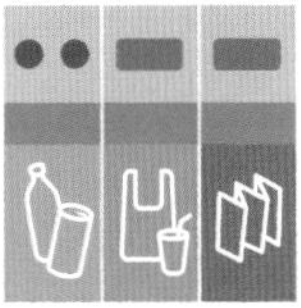
▲P05_180C
P05_180M ▶
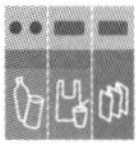

エコバッグ

▲P05_181C
P05_181M ▶

不法投棄

▲P05_182C
P05_182M ▶

▲P05_183C
P05_183M ▶

▲P05_184C
P05_184M ▶

▲P06_001C

P06_001M ▶

▲P06_002C

P06_002M ▶

▲P06_003C

P06_003M ▶

ダルメシアン

▲P06_004C

P06_004M ▶

▲P06_005C

P06_005M ▶

ブルテリア

▲P06_006C

P06_006M ▶

▲P06_007C

P06_007M ▶

▲P06_008C

P06_008M ▶

▲P06_009C

P06_009M ▶

フレンチ
ブルドッグ

▲P06_010C

P06_010M ▶

パグ

▲P06_011C

P06_011M ▶

▲P06_012C

P06_012M ▶

スコティッシュフォールド

▲P06_013C

P06_013M▶

▲P06_014C

P06_014M▶

▲P06_015C

P06_015M▶

ペルシャ

▲P06_016C

P06_016M▶

ロシアンブルー

▲P06_017C

P06_017M▶

▲P06_018C

P06_018M▶

▲P06_019C

P06_019M▶

▲P06_020C

P06_020M▶

▲P06_021C

P06_021M▶

▲P06_022C

P06_022M▶

▲P06_023C

P06_023M▶

▲P06_024C

P06_024M▶

▲P06_025C
P06_025M▶

▲P06_026C
P06_026M▶

▲P06_027C
P06_027M▶

▲P06_028C
P06_028M▶

▲P06_029C
P06_029M▶

▲P06_030C
P06_030M▶

▲P06_031C
P06_031M▶

▲P06_032C
P06_032M▶

▲P06_033C
P06_033M▶

ハリネズミ

▲P06_034C
P06_034M▶

モグラ

▲P06_035C
P06_035M▶

モグラ

▲P06_036C
P06_036M▶

▲P06_037C

P06_037M ▶

▲P06_038C

P06_038M ▶

▲P06_039C

P06_039M ▶

フェレット

▲P06_040C

P06_040M ▶

フェレット

▲P06_041C

P06_041M ▶

フェレット

▲P06_042C

P06_042M ▶

▲P06_043C

P06_043M ▶

▲P06_044C

P06_044M ▶

カワウソ

▲P06_045C

P06_045M ▶

イタチ

▲P06_046C

P06_046M ▶

スカンク

▲P06_047C

P06_047M ▶

カピバラ

▲P06_048C

P06_048M ▶

▲P06_049C

P06_049M▶

▲P06_050C

P06_050M▶

▲P06_051C

P06_051M▶

▲P06_052C

P06_052M▶

▲P06_053C

P06_053M▶

▲P06_054C

P06_054M▶

▲P06_055C

P06_055M▶

▲P06_056C

P06_056M▶

レッサーパンダ

▲P06_057C

P06_057M▶

レッサーパンダ

▲P06_058C

P06_058M▶

▲P06_059C

P06_059M▶

▲P06_060C

P06_060M▶

▲P06_061C

P06_061M ▶ 

▲P06_062C

P06_062M ▶ 

▲P06_063C

P06_063M ▶ 

ゴリラ

▲P06_064C

P06_064M ▶ 

ゴリラ

▲P06_065C

P06_065M ▶ 

▲P06_066C

P06_066M ▶ 

▲P06_067C

P06_067M ▶ 

オランウータン

▲P06_068C

P06_068M ▶ 

テナガザル

▲P06_069C

P06_069M ▶ 

メガネザル

▲P06_070C

P06_070M ▶ 

ワオキツネザル

▲P06_071C

P06_071M ▶ 

リスザル

▲P06_072C

P06_072M ▶ 

▲P06_073C

P06_073M ▶

▲P06_074C

P06_074M ▶

▲P06_075C

P06_075M ▶

▲P06_076C

P06_076M ▶

▲P06_077C

P06_077M ▶

▲P06_078C

P06_078M ▶

フェネック

▲P06_079C

P06_079M ▶

フェネック

▲P06_080C

P06_080M ▶

▲P06_081C

P06_081M ▶

▲P06_082C

P06_082M ▶

▲P06_083C

P06_083M ▶

▲P06_084C

P06_084M ▶

▲P06_085C

P06_085M ▶

▲P06_086C

P06_086M ▶

▲P06_087C

P06_087M ▶

▲P06_088C

P06_088M ▶

▲P06_089C

P06_089M ▶

▲P06_090C

P06_090M ▶

▲P06_091C

P06_091M ▶

▲P06_092C

P06_092M ▶

▲P06_093C

P06_093M ▶

▲P06_094C

P06_094M ▶

▲P06_095C

P06_095M ▶

▲P06_096C

P06_096M ▶

▲P06_097C

P06_097M ▶

▲P06_098C

P06_098M ▶

アルパカ

▲P06_099C

P06_099M ▶

▲P06_100C

P06_100M ▶

▲P06_101C

P06_101M ▶

ロバ

▲P06_102C

P06_102M ▶

▲P06_103C

P06_103M ▶

▲P06_104C

P06_104M ▶

オカピ

▲P06_105C

P06_105M ▶

▲P06_106C

P06_106M ▶

▲P06_107C

P06_107M ▶

▲P06_108C

P06_108M ▶

▲P06_109C

P06_109M ▶

▲P06_110C

P06_110M ▶

▲P06_111C

P06_111M ▶

▲P06_112C

P06_112M ▶

▲P06_113C

P06_113M ▶

▲P06_114C

P06_114M ▶

▲P06_115C

P06_115M ▶

▲P06_116C

P06_116M ▶

▲P06_117C

P06_117M ▶

▲P06_118C

P06_118M ▶

▲P06_119C

P06_119M ▶

▲P06_120C

P06_120M ▶

▲P06_121C

P06_121M ▶ 

▲P06_122C

P06_122M ▶ 

▲P06_123C

P06_123M ▶ 

▲P06_124C

P06_124M ▶ 

▲P06_125C

P06_125M ▶ 

▲P06_126C

P06_126M ▶ 

▲P06_127C

P06_127M ▶ 

▲P06_128C

P06_128M ▶ 

▲P06_129C

P06_129M ▶ 

▲P06_130C

P06_130M ▶ 

▲P06_131C

P06_131M ▶ 

▲P06_132C

P06_132M ▶ 

アルマジロ

▲P06_133C

P06_133M ▶

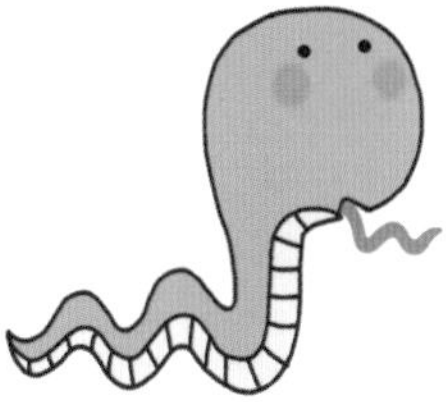

▲P06_134C

P06_134M ▶

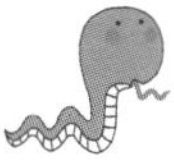

▲P06_135C

P06_135M ▶

カメレオン

▲P06_136C

P06_136M ▶

イグアナ

▲P06_137C

P06_137M ▶

ヒョウモントカゲモドキ

▲P06_138C

P06_138M ▶

▲P06_139C

P06_139M ▶

▲P06_140C

P06_140M ▶

▲P06_141C

P06_141M ▶

▲P06_142C

P06_142M ▶

▲P06_143C

P06_143M ▶

▲P06_144C

P06_144M ▶

動物／鳥

カナリア

▲P06_145C

P06_145M▶

▲P06_146C

P06_146M▶

▲P06_147C

P06_147M▶

文鳥

▲P06_148C

P06_148M▶

▲P06_149C

P06_149M▶

▲P06_150C

P06_150M▶

▲P06_151C

P06_151M▶

▲P06_152C

P06_152M▶

ウグイス

▲P06_153C

P06_153M▶

▲P06_154C

P06_154M▶

▲P06_155C

P06_155M▶

▲P06_156C

P06_156M▶

▲P06_157C

P06_157M ▶

▲P06_158C

P06_158M ▶

九官鳥

▲P06_159C

P06_159M ▶

▲P06_160C

P06_160M ▶

▲P06_161C

P06_161M ▶

カラス

▲P06_162C

P06_162M ▶

▲P06_163C

P06_163M ▶

▲P06_164C

P06_164M ▶

タカ

▲P06_165C

P06_165M ▶

▲P06_166C

P06_166M ▶

▲P06_167C

P06_167M ▶

▲P06_168C

P06_168M ▶

アヒル

▲P06_169C

P06_169M ▶

白鳥

▲P06_170C

P06_170M ▶

白鳥

▲P06_171C

P06_171M ▶

ペリカン

▲P06_172C

P06_172M ▶

ペリカン

▲P06_173C

P06_173M ▶

▲P06_174C

P06_174M ▶

トキ

▲P06_175C

P06_175M ▶

ツル

▲P06_176C

P06_176M ▶

▲P06_177C

P06_177M ▶

▲P06_178C

P06_178M ▶

▲P06_179C

P06_179M ▶

ダチョウ

▲P06_180C

P06_180M ▶

▲P06_181C

P06_181M▶

▲P06_182C

P06_182M▶

▲P06_183C

P06_183M▶

▲P06_184C

P06_184M▶

▲P06_185C

P06_185M▶

▲P06_186C

P06_186M▶

▲P06_187C

P06_187M▶

メダカ

▲P06_188C

P06_188M▶

メダカ

▲P06_189C

P06_189M▶

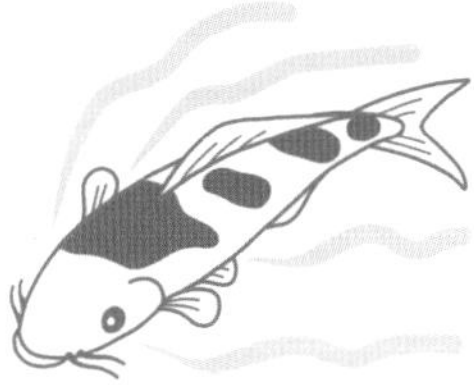

▲P06_190C

P06_190M▶

タイ

▲P06_191C

P06_191M▶

フグ

▲P06_192C

P06_192M▶

▲P06_193C

P06_193M ▶

▲P06_194C

P06_194M ▶

▲P06_195C

P06_195M ▶

▲P06_196C

P06_196M ▶

ハリセンボン

▲P06_197C

P06_197M ▶

ヒラメ

▲P06_198C

P06_198M ▶

チョウチンアンコウ

▲P06_199C

P06_199M ▶

ドジョウ

▲P06_200C

P06_200M ▶

ウナギ

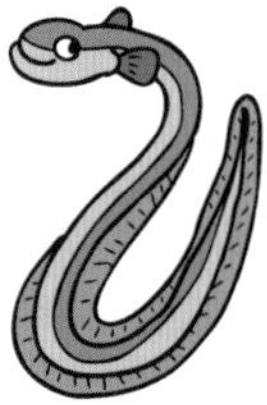

▲P06_201C

P06_201M ▶

ナマズ

▲P06_202C

P06_202M ▶

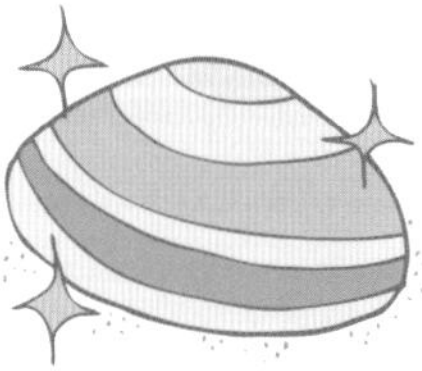

▲P06_203C

P06_203M ▶

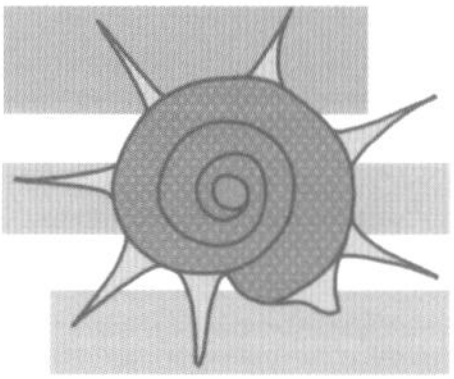

▲P06_204C

P06_204M ▶

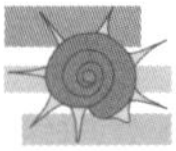

マンボウ

▲P06_205C

P06_205M▶

ジンベイザメ

▲P06_206C

P06_206M▶

サメ

▲P06_207C

P06_207M▶

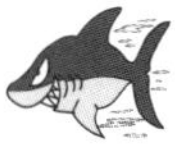

マンタ

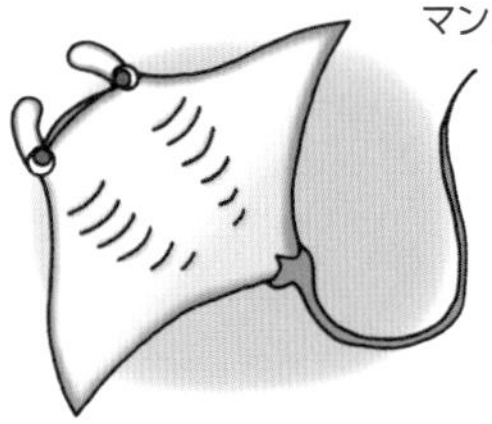

▲P06_208C

P06_208M▶

チンアナゴ

▲P06_209C

P06_209M▶

▲P06_210C

P06_210M▶

▲P06_211C

P06_211M▶

▲P06_212C

P06_212M▶

▲P06_213C

P06_213M▶

▲P06_214C

P06_214M▶

▲P06_215C

P06_215M▶

▲P06_216C

P06_216M▶

▲P06_217C

P06_217M ▶

▲P06_218C

P06_218M ▶

▲P06_219C

P06_219M ▶

▲P06_220C

P06_220M ▶

▲P06_221C

P06_221M ▶

▲P06_222C

P06_222M ▶

▲P06_223C

P06_223M ▶

▲P06_224C

P06_224M ▶

▲P06_225C

P06_225M ▶

▲P06_226C

P06_226M ▶

▲P06_227C

P06_227M ▶

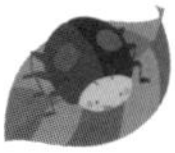

▲P06_228C

P06_228M ▶

▲P06_229C

P06_229M▶ 

ヘラクレスオオカブト

▲P06_230C

P06_230M▶ 

▲P06_231C

P06_231M▶ 

ケンタウルスオオカブト

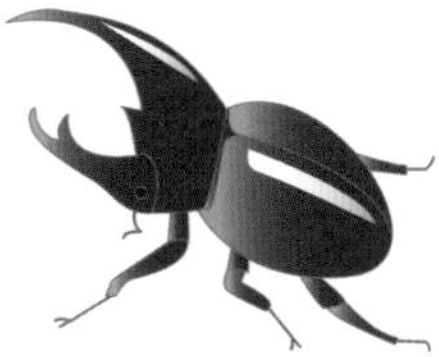

▲P06_232C

P06_232M▶ 

アトラスオオカブト

▲P06_233C

P06_233M▶ 

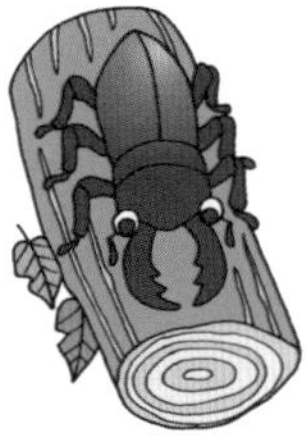

▲P06_234C

P06_234M▶ 

▲P06_235C

P06_235M▶ 

▲P06_236C

P06_236M▶ 

▲P06_237C

P06_237M▶ 

▲P06_238C

P06_238M▶ 

▲P06_239C

P06_239M▶ 

▲P06_240C

P06_240M▶ 

▲P06_241C

P06_241M ▶

▲P06_242C

P06_242M ▶

▲P06_243C

P06_243M ▶

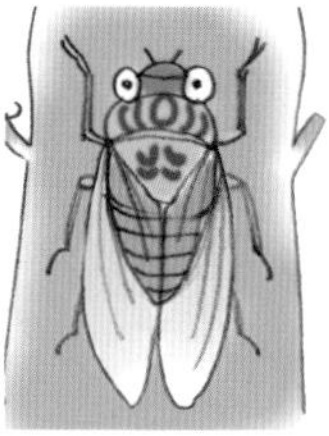

▲P06_244C

P06_244M ▶

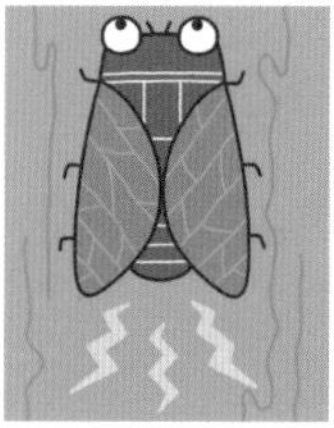

▲P06_245C

P06_245M ▶

▲P06_246C

P06_246M ▶

▲P06_247C

P06_247M ▶

▲P06_248C

P06_248M ▶

バッタ

▲P06_249C

P06_249M ▶

コオロギ

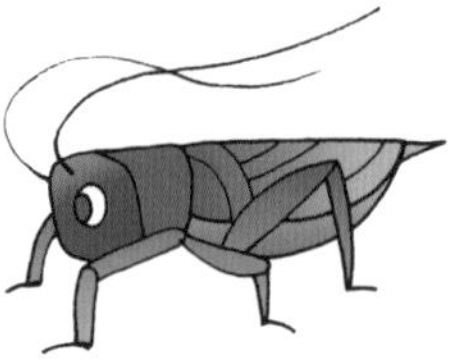

▲P06_250C

P06_250M ▶

スズムシ

▲P06_251C

P06_251M ▶

キリギリス

▲P06_252C

P06_252M ▶

▲P06_253C

P06_253M ▶ 

▲P06_254C

P06_254M ▶ 

コオロギ

▲P06_255C

P06_255M ▶ 

バッタ

▲P06_256C

P06_256M ▶ 

▲P06_257C

P06_257M ▶ 

▲P06_258C

P06_258M ▶ 

▲P06_259C

P06_259M ▶ 

▲P06_260C

P06_260M ▶ 

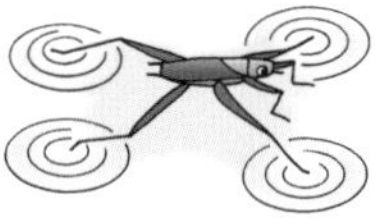

▲P06_261C

P06_261M ▶ 

スズムシ

▲P06_262C

P06_262M ▶ 

▲P06_263C

P06_263M ▶ 

▲P06_264C

P06_264M ▶ 

カメムシ

▲P06_265C

P06_265M ▶ 

ハエ

▲P06_266C

P06_266M ▶ 

蚊

▲P06_267C

P06_267M ▶ 

▲P06_268C

P06_268M ▶ 

セアカ
ゴケグモ

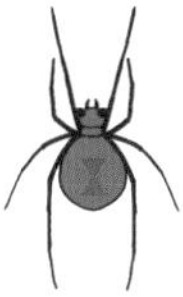

▲P06_269C

P06_269M ▶ 

スズメバチ

▲P06_270C

P06_270M ▶ 

ヒアリ

▲P06_271C

P06_271M ▶ 

ゴキブリ

▲P06_272C

P06_272M ▶ 

▲P07_001C
P07_001M▶

▲P07_002C
P07_002M▶

▲P07_003C
P07_003M▶

▲P07_004C
P07_004M▶

▲P07_005C
P07_005M▶
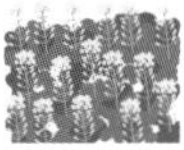

モモ

▲P07_006C
P07_006M▶

▲P07_007C
P07_007M▶

▲P07_008C
P07_008M▶

▲P07_009C
P07_009M▶

▲P07_010C
P07_010M▶

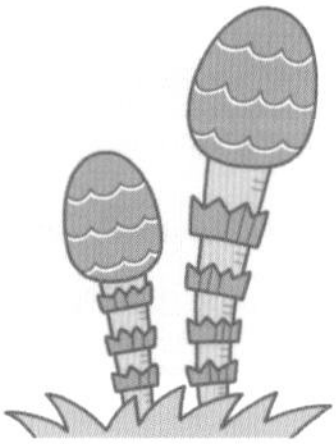
▲P07_011C
P07_011M▶

ナズナ

▲P07_012C
P07_012M▶

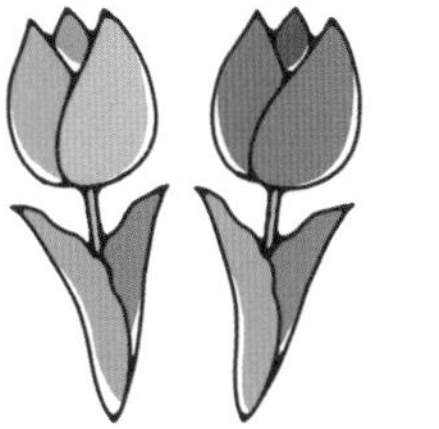
▲P07_013C
P07_013M ▶

▲P07_014C
P07_014M ▶

▲P07_015C
P07_015M ▶

▲P07_016C
P07_016M ▶

▲P07_017C
P07_017M ▶

▲P07_018C
P07_018M ▶

ライラック

▲P07_019C
P07_019M ▶

わすれな草

▲P07_020C
P07_020M ▶

デージー

▲P07_021C
P07_021M ▶

フリージア

▲P07_022C
P07_022M ▶

ヒヤシンス
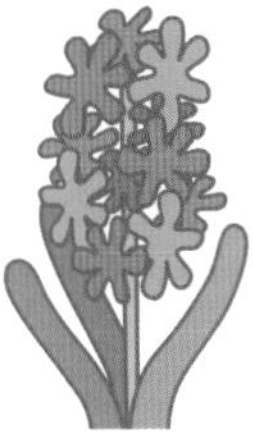
▲P07_023C
P07_023M ▶

ユキノシタ
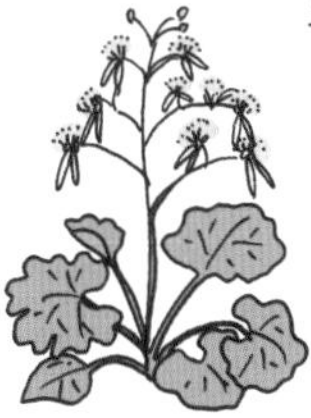
▲P07_024C
P07_024M ▶

▲P07_025C

P07_025M▶

▲P07_026C

P07_026M▶

▲P07_027C

P07_027M▶

かすみ草

▲P07_028C

P07_028M▶

ラナンキュラス

▲P07_029C

P07_029M▶

▲P07_030C

P07_030M▶

カーネーション

▲P07_031C

P07_031M▶

マーガレット

▲P07_032C

P07_032M▶

スイトピー

▲P07_033C

P07_033M▶

アマリリス

▲P07_034C

P07_034M▶

デルフィニウム

▲P07_035C

P07_035M▶

ネモフィラ

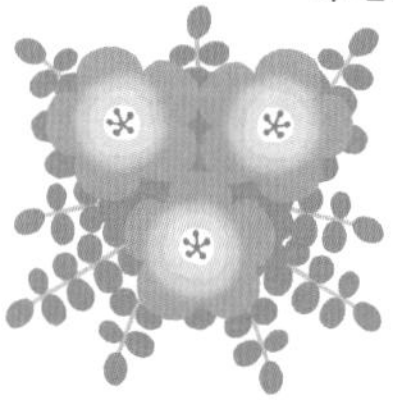

▲P07_036C

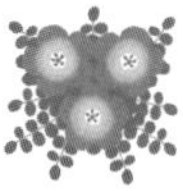

P07_036M▶

ツツジ

▲P07_037C

P07_037M▶

ツツジ

▲P07_038C

P07_038M▶

ペチュニア

▲P07_039C

P07_039M▶

▲P07_040C

P07_040M▶

ポピー

▲P07_041C

P07_041M▶

ポピー(ヒナゲシ)

▲P07_042C

P07_042M▶

ボタン

▲P07_043C

P07_043M▶

シャクヤク

▲P07_044C

P07_044M▶

シャクナゲ

▲P07_045C

P07_045M▶

カラスノエンドウ

▲P07_046C

P07_046M▶

オオイヌノフグリ

▲P07_047C

P07_047M▶

カタクリ

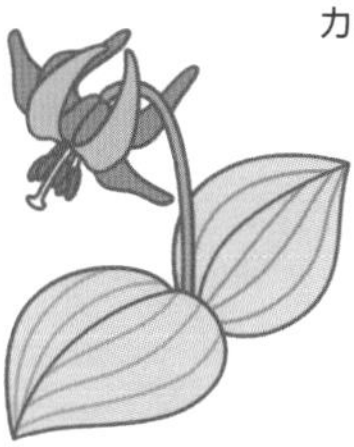

▲P07_048C

P07_048M▶

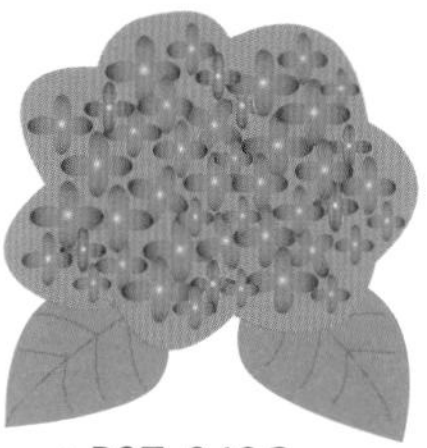
▲P07_049C
P07_049M ▶

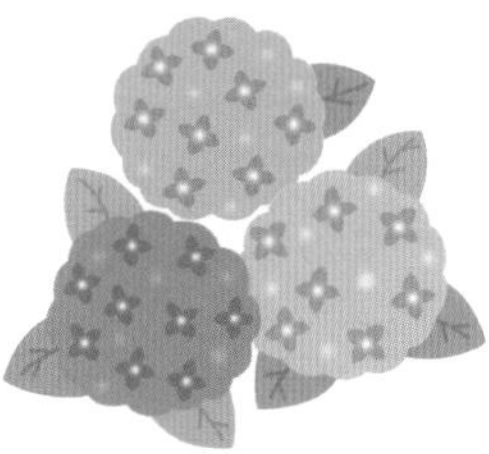
▲P07_050C
P07_050M ▶

▲P07_051C
P07_051M ▶

アヤメ

▲P07_052C
P07_052M ▶

アイリス

▲P07_053C
P07_053M ▶

カキツバタ

▲P07_054C
P07_054M ▶

▲P07_055C
P07_055M ▶

▲P07_056C
P07_056M ▶

▲P07_057C
P07_057M ▶

月見草

▲P07_058C
P07_058M ▶

ホタルブクロ

▲P07_059C
P07_059M ▶

サギソウ

▲P07_060C
P07_060M ▶

▲P07_061C

P07_061M ▶

▲P07_062C

P07_062M ▶

ヒルガオ

▲P07_063C

P07_063M ▶

▲P07_064C

P07_064M ▶

▲P07_065C

P07_065M ▶

▲P07_066C

P07_066M ▶

フヨウ

▲P07_067C

P07_067M ▶

ミズバショウ

▲P07_068C

P07_068M ▶

スイレン

▲P07_069C

P07_069M ▶

ムラサキツユクサ

▲P07_070C

P07_070M ▶

ツユクサ

▲P07_071C

P07_071M ▶

ドクダミ

▲P07_072C

P07_072M ▶

ガーベラ

▲P07_073C

P07_073M▶

ガーベラ

▲P07_074C

P07_074M▶

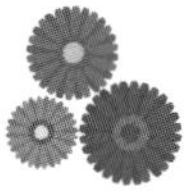

マリーゴールド

▲P07_075C

P07_075M▶

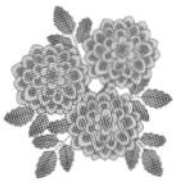

アザミ

▲P07_076C

P07_076M▶

ケイトウ

▲P07_077C

P07_077M▶

ベニバナ

▲P07_078C

P07_078M▶

サルビア

▲P07_079C

P07_079M▶

サルビア

▲P07_080C

P07_080M▶

オシロイバナ

▲P07_081C

P07_081M▶

アスター

▲P07_082C

P07_082M▶

夏白菊

▲P07_083C

P07_083M▶

センニチコウ

▲P07_084C

P07_084M▶

▲P07_085C

P07_085M ▶

▲P07_086C

P07_086M ▶

ダリア

▲P07_087C

P07_087M ▶

アオイ

▲P07_088C

P07_088M ▶

グラジオラス

▲P07_089C

P07_089M ▶

ポーラチュカ

▲P07_090C

P07_090M ▶

クレマチス

▲P07_091C

P07_091M ▶

月下美人

▲P07_092C

P07_092M ▶

プルメリア

▲P07_093C

P07_093M ▶

ホウセンカ

▲P07_094C

P07_094M ▶

ゼラニウム

▲P07_095C

P07_095M ▶

ネジバナ

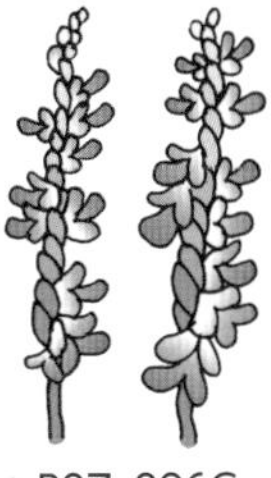

▲P07_096C

P07_096M ▶

▲P07_097C

P07_097M ▶

▲P07_098C

P07_098M ▶

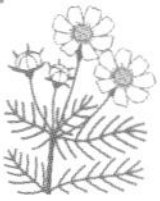

▲P07_099C

P07_099M ▶

キバナコスモス

▲P07_100C

P07_100M ▶

キキョウ

▲P07_101C

P07_101M ▶

キキョウ

▲P07_102C

P07_102M ▶

ナデシコ

▲P07_103C

P07_103M ▶

彼岸花

▲P07_104C

P07_104M ▶

彼岸花

▲P07_105C

P07_105M ▶

ベゴニア

▲P07_106C

P07_106M ▶

オミナエシ

▲P07_107C

P07_107M ▶

セイタカアワダチソウ

▲P07_108C

P07_108M ▶

▲P07_109C

P07_109M▶

▲P07_110C

P07_110M▶

紺菊

▲P07_111C

P07_111M▶

リンドウ

▲P07_112C

P07_112M▶

リンドウ

▲P07_113C

P07_113M▶

皇帝ダリア

▲P07_114C

P07_114M▶

サフラン

▲P07_115C

P07_115M▶

オキザリス

▲P07_116C

P07_116M▶

キンモクセイ

▲P07_117C

P07_117M▶

フジバカマ

▲P07_118C

P07_118M▶

ムラサキシキブ

▲P07_119C

P07_119M▶

クズ

▲P07_120C

P07_120M▶

▲P07_121C

P07_121M▶

▲P07_122C

P07_122M▶

▲P07_123C

P07_123M▶

ボケ

▲P07_124C

P07_124M▶

沈丁花

▲P07_125C

P07_125M▶

▲P07_126C

P07_126M▶

スイセン

▲P07_127C

P07_127M▶

スイセン

▲P07_128C

P07_128M▶

クロッカス

▲P07_129C

P07_129M▶

プリムラポリアンサ

▲P07_130C

P07_130M▶

ユキワリソウ

▲P07_131C

P07_131M▶

アネモネ

▲P07_132C

P07_132M▶

▲P07_133C

P07_133M▶

▲P07_134C

P07_134M▶

サザンカ

▲P07_135C

P07_135M▶

スノードロップ

▲P07_136C

P07_136M▶

ウインターコスモス

▲P07_137C

P07_137M▶

クリスマスローズ

▲P07_138C

P07_138M▶

ノースポール

▲P07_139C

P07_139M▶

ポインセチア

▲P07_140C

P07_140M▶

シクラメン

▲P07_141C

P07_141M▶

ハボタン

▲P07_142C

P07_142M▶

フクジュソウ

▲P07_143C

P07_143M▶

フキノトウ

▲P07_144C

P07_144M▶

ペパーミント

▲P07_145C

P07_145M▶

ラベンダー

▲P07_146C

P07_146M▶

バジル

▲P07_147C

P07_147M▶

カモミール

▲P07_148C

P07_148M▶

イタリアンパセリ

▲P07_149C

P07_149M▶

ローズマリー

▲P07_150C

P07_150M▶

タイム

▲P07_151C

P07_151M▶

ワイルドストロベリー

▲P07_152C

P07_152M▶

レモンバーム

▲P07_153C

P07_153M▶

ローズゼラニウム

▲P07_154C

P07_154M▶

オレガノ

▲P07_155C

P07_155M▶

コモンセージ

▲P07_156C

P07_156M▶

アロエ

▲P07_157C
P07_157M ▶

ハルオチア

▲P07_158C
P07_158M ▶

エケベリア

▲P07_159C
P07_159M ▶

多肉植物の寄せ植え

▲P07_160C
P07_160M ▶

アイビー

▲P07_161C
P07_161M ▶

アジアンタム

▲P07_162C
P07_162M ▶

ポトス

▲P07_163C
P07_163M ▶

サンスベリア

▲P07_164C
P07_164M ▶

オリヅルラン

▲P07_165C
P07_165M ▶

モンステラ

▲P07_166C
P07_166M ▶

ウンベラータ

▲P07_167C
P07_167M ▶

コーヒー

▲P07_168C
P07_168M ▶

ベンジャミン

▲P07_169C
P07_169M ▶

ガジュマル

▲P07_170C
P07_170M ▶

幸福の木

▲P07_171C
P01_171M ▶

シェフレラ

▲P07_172C
P07_172M ▶

パキラ

▲P07_173C
P07_173M ▶

エバーフレッシュ

▲P07_174C
P07_174M ▶

観葉植物の寄せ植え

▲P07_175C
P07_175M ▶

▲P07_176C
P07_176M ▶

シラタマノキ

▲P07_177C

P07_177M▶

コマクサ

▲P07_178C

P07_178M▶

チングルマ

▲P07_179C

P07_179M▶

▲P07_180C

P07_180M▶

アンスリウム

▲P07_181C

P07_181M▶

コチョウラン

▲P07_182C

P07_182M▶

デイゴ

▲P07_183C

P07_183M▶

ソテツ

▲P07_184C

P07_184M▶

▲P07_185C

P07_185M▶

▲P07_186C

P07_186M▶

▲P07_187C

P07_187M▶

▲P07_188C

P07_188M▶

スギ

▲P07_189C
P07_189M ▶

クスノキ

▲P07_190C
P07_190M ▶

ヒノキ

▲P07_191C
P07_191M ▶

マツ

▲P07_192C
P07_192M ▶

クヌギ

▲P07_193C
P07_193M ▶

▲P07_194C
P07_194M ▶

▲P07_195C
P07_195M ▶

イチョウ

▲P07_196C
P07_196M ▶

ヤマブキ

▲P07_197C
P07_197M ▶

クチナシ

▲P07_198C
P07_198M ▶

ハナミズキ

▲P07_199C
P07_199M ▶

モクレン

▲P07_200C
P07_200M ▶

ハギ

▲P07_201C
P07_201M ▶

オリーブ

▲P07_202C
P07_202M ▶

フジ

▲P07_203C
P01_203M ▶

サルスベリ

▲P07_204C
P07_204M ▶

ザクロ

▲P07_205C
P07_205M ▶

ネコヤナギ

▲P07_206C
P07_206M ▶

シラカバ

▲P07_207C
P07_207M ▶

街路樹

▲P07_208C
P07_208M ▶

▲P08_001C

P08_001M ▶

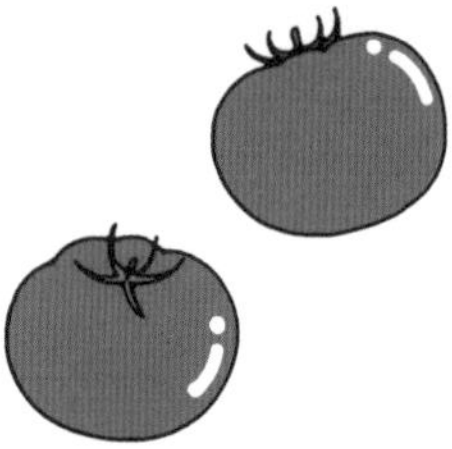

▲P08_002C

P08_002M ▶

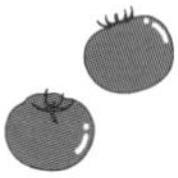

▲P08_003C

P08_003M ▶

▲P08_004C

P08_004M ▶

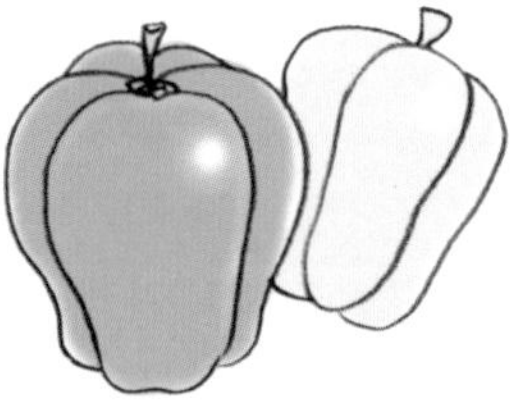

▲P08_005C

P08_005M ▶

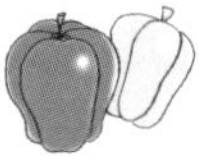

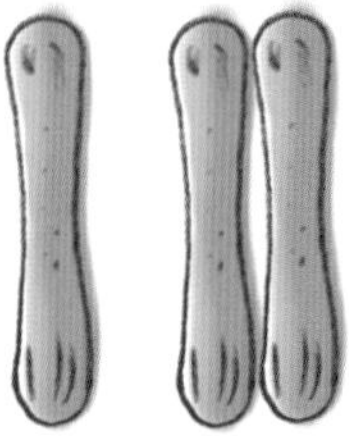

▲P08_006C

P08_006M ▶

▲P08_007C

P08_007M ▶

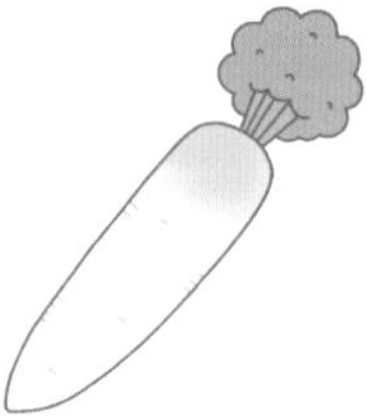

▲P08_008C

P08_008M ▶

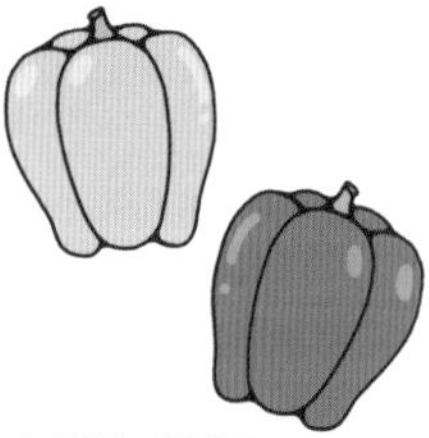

▲P08_009C

P08_009M ▶

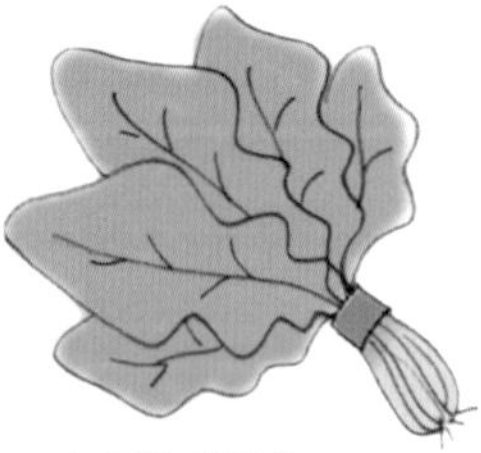

▲P08_010C

P08_010M ▶

▲P08_011C

P08_011M ▶

▲P08_012C

P08_012M ▶

レタス

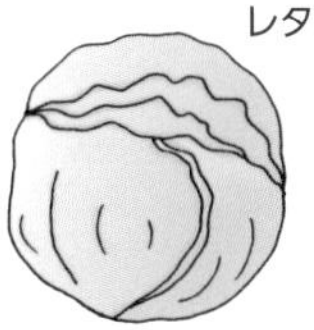

▲P08_013C

P08_013M ▶ 

▲P08_014C

P08_014M ▶ 

ミニトマト

▲P08_015C

P08_015M ▶ 

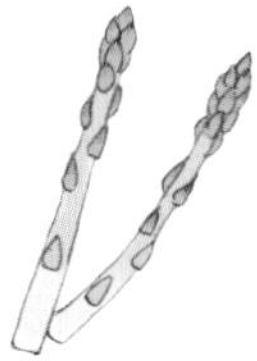

▲P08_016C

P08_016M ▶ 

▲P08_017C

P08_017M ▶ 

小松菜

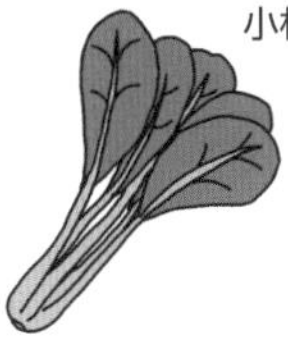

▲P08_018C

P08_018M ▶ 

チンゲンサイ

▲P08_019C

P08_019M ▶ 

ブロッコリー

▲P08_020C

P08_020M ▶ 

▲P08_021C

P08_021M ▶ 

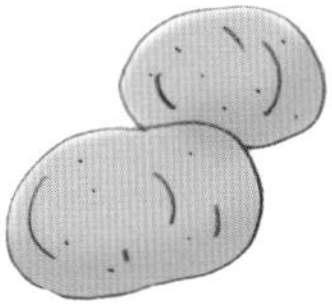

▲P08_022C

P08_022M ▶ 

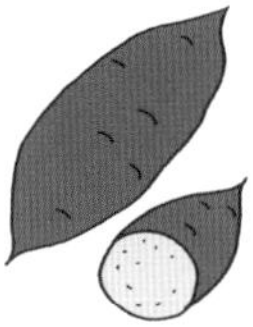

▲P08_023C

P08_023M ▶ 

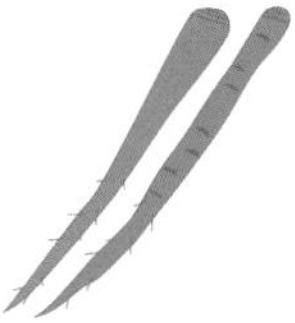

▲P08_024C

P08_024M ▶ 

ゴーヤ

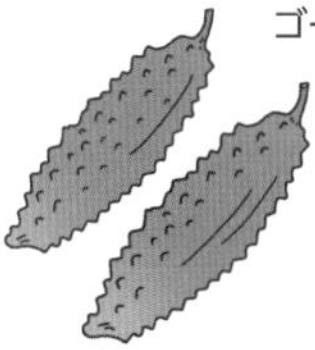

▲P08_025C

P08_025M ▶ 

▲P08_026C

P08_026M ▶ 

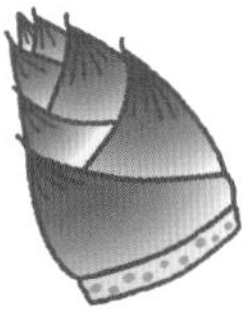

▲P08_027C

P08_027M ▶ 

▲P08_028C

P08_028M ▶ 

春菊

▲P08_029C

P08_029M ▶ 

ルッコラ

▲P08_030C

P08_030M ▶ 

水菜

▲P08_031C

P08_031M ▶ 

セロリ

▲P08_032C

P08_032M ▶ 

▲P08_033C
P08_033M▶

▲P08_034C
P08_034M▶

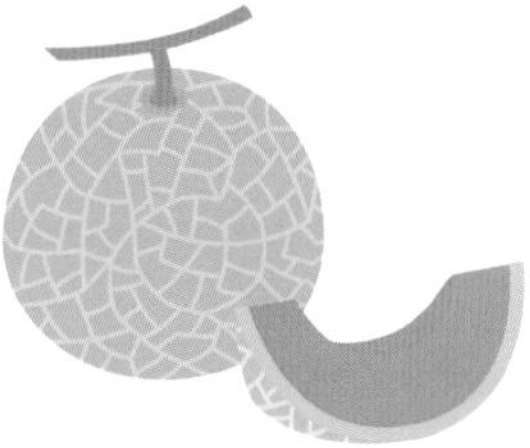
▲P08_035C
P08_035M▶

▲P08_036C
P08_036M▶

▲P08_037C
P08_037M▶

▲P08_038C
P08_038M▶

▲P08_039C
P08_039M▶

▲P08_040C
P08_040M▶

▲P08_041C
P08_041M▶

▲P08_042C
P08_042M▶

▲P08_043C
P08_043M▶

▲P08_044C
P08_044M▶

グレープフルーツ

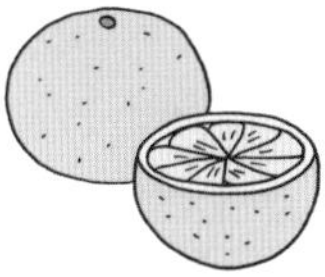

▲P08_045C

P08_045M ▶

▲P08_046C

P08_046M ▶

▲P08_047C

P08_047M ▶

▲P08_048C

P08_048M ▶

▲P08_049C

P08_049M ▶

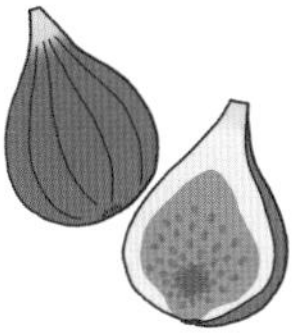

▲P08_050C

P08_050M ▶

▲P08_051C

P08_051M ▶

アボカド

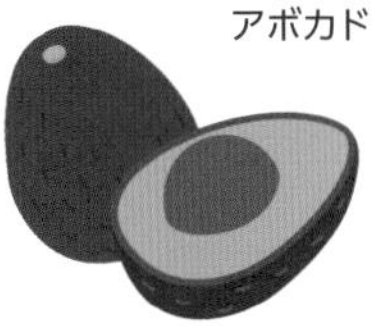

▲P08_052C

P08_052M ▶

ドラゴンフルーツ

▲P08_053C

P08_053M ▶

▲P08_054C

P08_054M ▶

▲P08_055C

P08_055M ▶

しいたけ

▲P08_056C

P08_056M ▶

▲P08_057C

P08_057M ▶

▲P08_058C

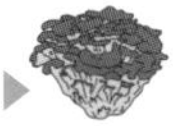

P08_058M ▶

エリンギ

▲P08_059C

P08_059M ▶

▲P08_060C

P08_060M ▶

ショウガ

▲P08_061C

P08_061M ▶

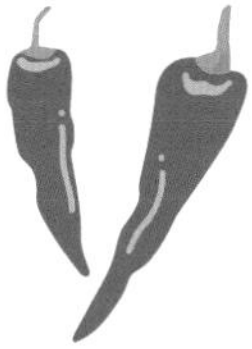

▲P08_062C

P08_062M ▶

大葉

▲P08_063C

P08_063M ▶

▲P08_064C

P08_064M ▶

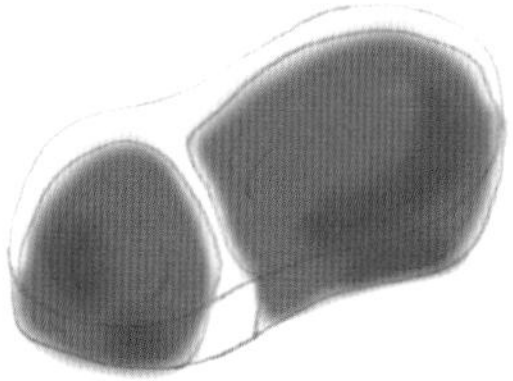

▲P08_065C

P08_065M▶

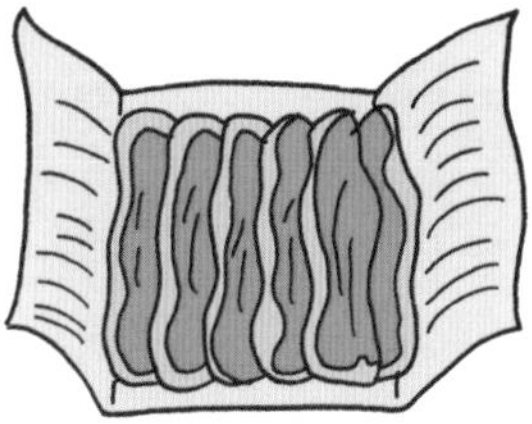

▲P08_066C

P08_066M▶

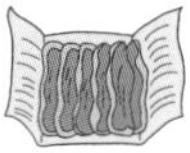

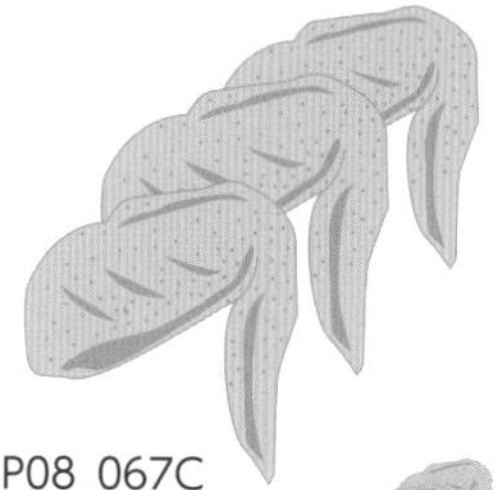

▲P08_067C

P08_067M▶

アジ

▲P08_068C

P08_068M▶

サンマ

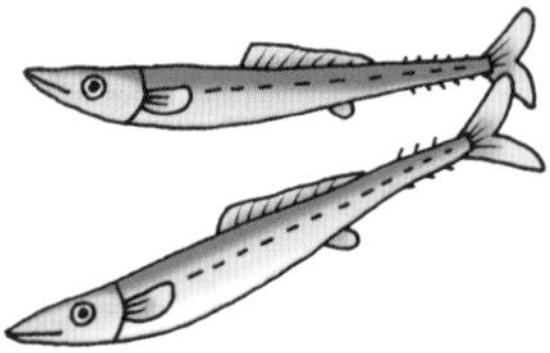

▲P08_069C

P08_069M▶

▲P08_070C

P08_070M▶

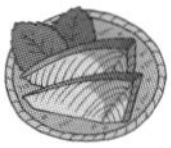

▲P08_071C

P08_071M▶

▲P08_072C

P08_072M▶

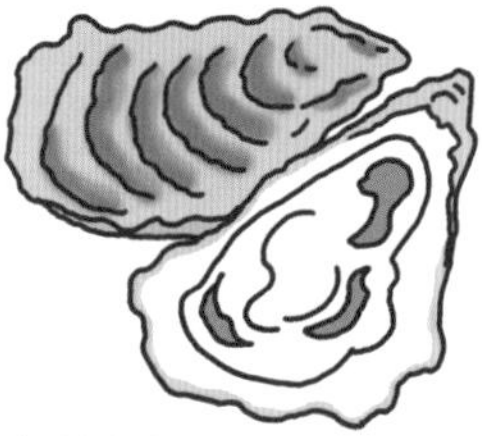

▲P08_073C

P08_073M▶

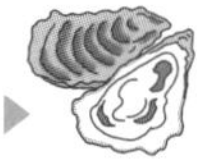

▲P08_074C

P08_074M▶

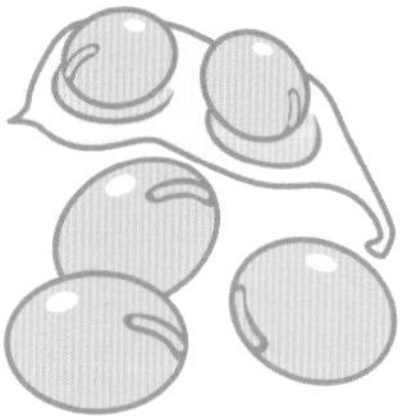

▲P08_075C

P08_075M▶

▲P08_076C

P08_076M▶

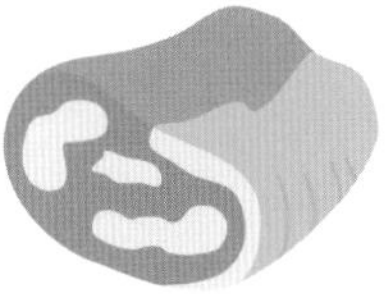

▲P08_077C

P08_077M ▶ 

▲P08_078C

P08_078M ▶ 

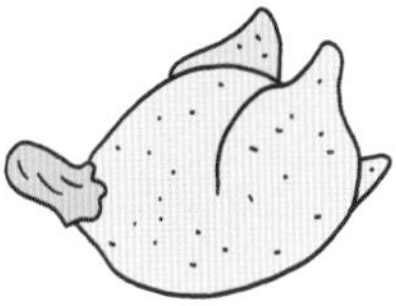

▲P08_079C

P08_079M ▶ 

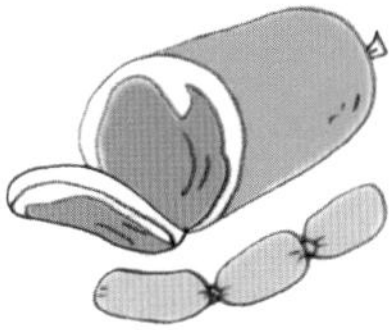

▲P08_080C

P08_080M ▶ 

▲P08_081C

P08_081M ▶ 

▲P08_082C

P08_082M ▶ 

▲P08_083C

P08_083M ▶ 

▲P08_084C

P08_084M ▶ 

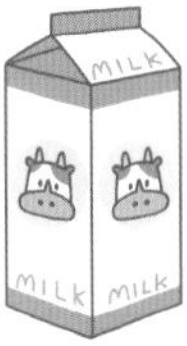

▲P08_085C

P08_085M ▶ 

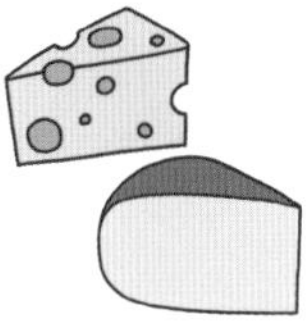

▲P08_086C

P08_086M ▶ 

▲P08_087C

P08_087M ▶ 

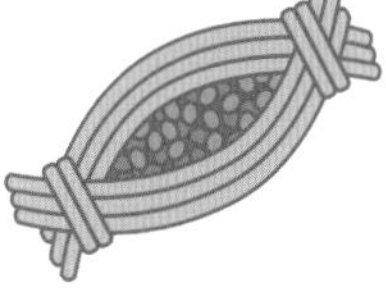

▲P08_088C

P08_088M ▶ 

カツオ

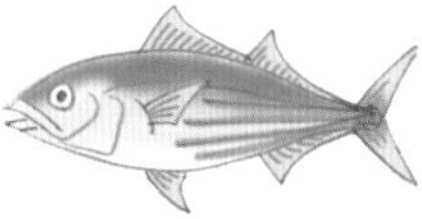

▲P08_089C

P08_089M ▶ 

イワシ

▲P08_090C

P08_090M ▶ 

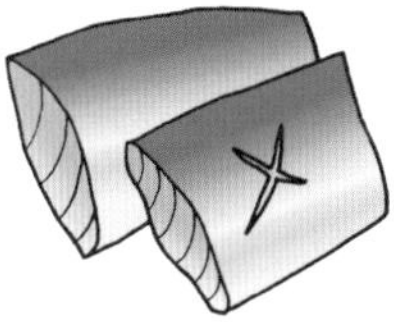

▲P08_091C

P08_091M ▶ 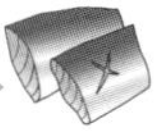

カレイ

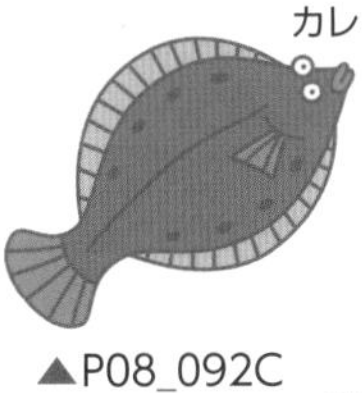

▲P08_092C

P08_092M ▶ 

▲P08_093C

P08_093M ▶ 

▲P08_094C

P08_094M ▶ 

▲P08_095C

P08_095M ▶ 

▲P08_096C

P08_096M ▶ 

コース料理

▲P08_097C

P08_097M ▶ 

▲P08_098C

P08_098M ▶ 

▲P08_099C

P08_099M ▶ 

▲P08_100C

P08_100M ▶ 

▲P08_101C

P08_101M ▶ 

▲P08_102C

P08_102M ▶ 

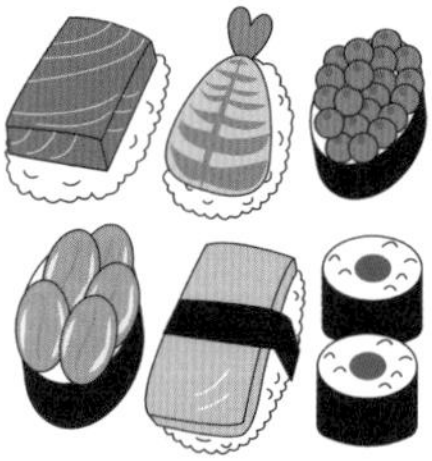

▲P08_103C

P08_103M ▶ 

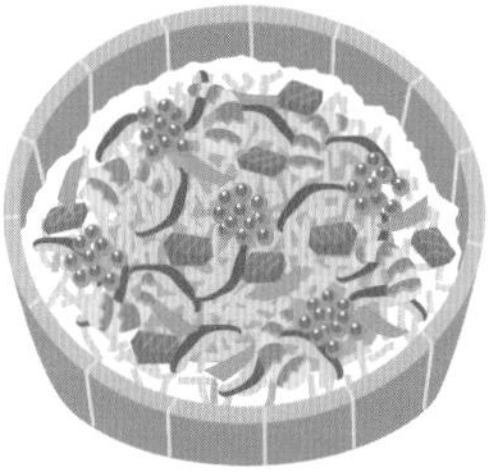

▲P08_104C

P08_104M ▶ 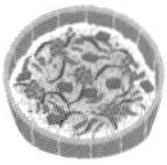

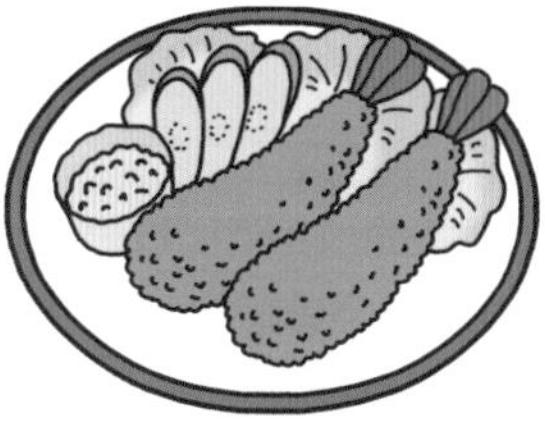

▲P08_105C

P08_105M ▶ 

▲P08_106C

P08_106M ▶ 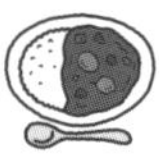

▲P08_107C

P08_107M ▶ 

とんかつ

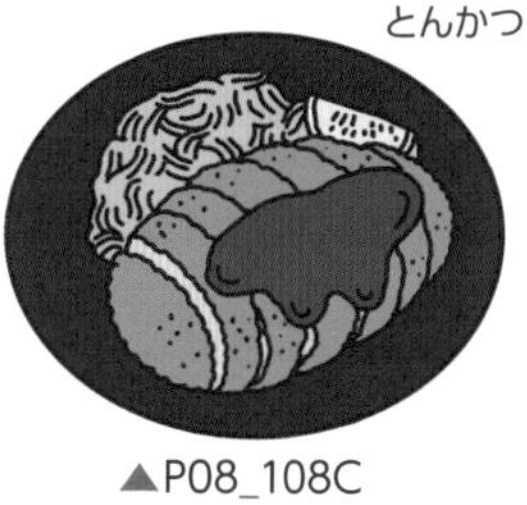

▲P08_108C

P08_108M ▶ 

▲P08_109C

P08_109M ▶ 

▲P08_110C

P08_110M ▶ 

▲P08_111C

P08_111M ▶ 

▲P08_112C

P08_112M ▶ 

コロッケ

▲P08_113C

P08_113M ▶ 

からあげ

▲P08_114C

P08_114M ▶ 

▲P08_115C

P08_115M ▶ 

グラタン

▲P08_116C

P08_116M ▶ 

▲P08_117C

P08_117M ▶ 

肉じゃが

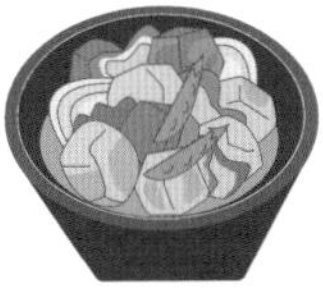

▲P08_118C

P08_118M ▶ 

▲P08_119C

P08_119M ▶ 

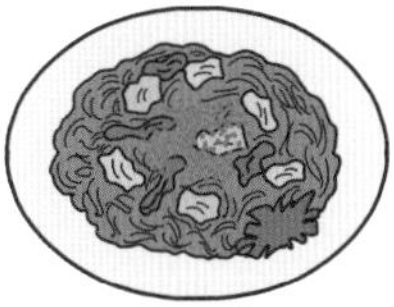

▲P08_120C

P08_120M ▶ 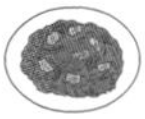

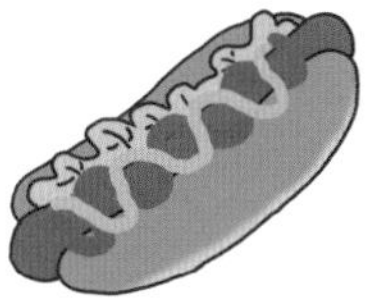

▲P08_121C

P08_121M ▶ 

▲P08_122C

P08_122M ▶ 

▲P08_123C

P08_123M ▶ 

▲P08_124C

P08_124M ▶ 

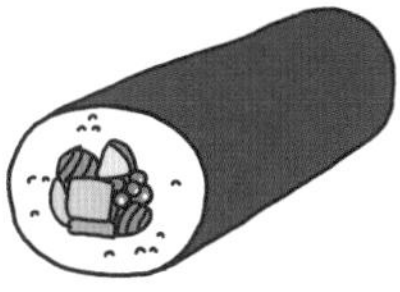

▲P08_125C

P08_125M ▶ 

▲P08_126C

P08_126M ▶ 

▲P08_127C

P08_127M ▶ 

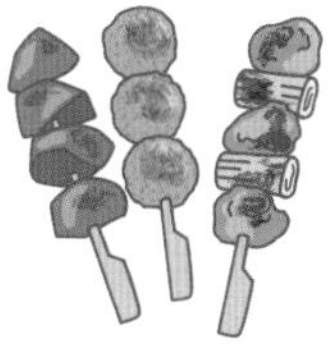

▲P08_128C

P08_128M ▶ 

▲P08_129C

P08_129M ▶

すき焼き

▲P08_130C

P08_130M ▶

▲P08_131C

P08_131M ▶

▲P08_132C

P08_132M ▶

▲P08_133C

P08_133M ▶

▲P08_134C

P08_134M ▶

▲P08_135C

P08_135M ▶

▲P08_136C

P08_136M ▶

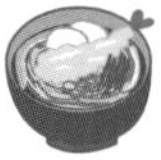

▲P08_137C

P08_137M ▶

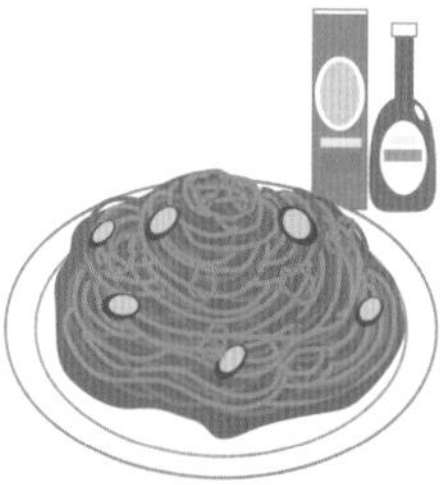

▲P08_138C

P08_138M ▶

タイカレー

▲P08_139C

P08_139M ▶

チゲ

▲P08_140C

P08_140M ▶

ピラフ

▲P08_141C

P08_141M ▶ 

チャーハン

▲P08_142C

P08_142M ▶ 

▲P08_143C

P08_143M ▶ 

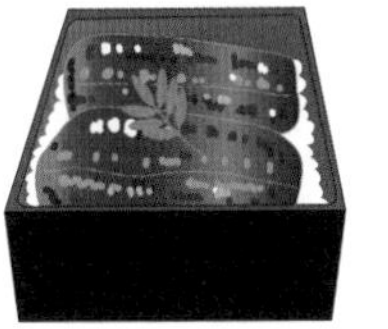

▲P08_144C

P08_144M ▶ 

▲P08_145C

P08_145M ▶ 

▲P08_146C

P08_146M ▶ 

▲P08_147C

P08_147M ▶ 

▲P08_148C

P08_148M ▶ 

▲P08_149C

P08_149M ▶ 

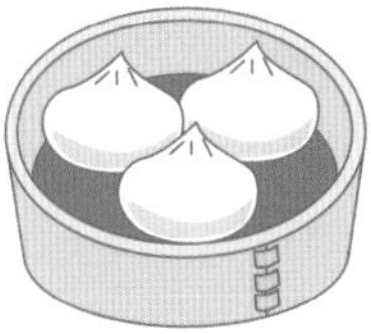

▲P08_150C

P08_150M ▶ 

サムギョプサル

▲P08_151C

P08_151M ▶ 

生春巻き

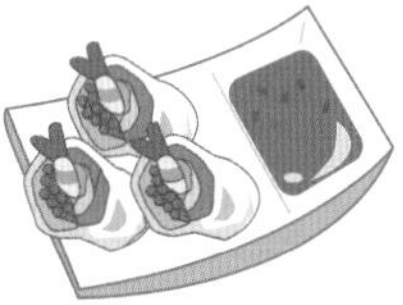

▲P08_152C

P08_152M ▶ 

▲P08_153C

P08_153M ▶ 

▲P08_154C

P08_154M ▶ 

▲P08_155C

P08_155M ▶ 

▲P08_156C

P08_156M ▶ 

▲P08_157C

P08_157M ▶ 

▲P08_158C

P08_158M ▶ 

▲P08_159C

P08_159M ▶ 

▲P08_160C

P08_160M ▶ 

▲P08_161C
P08_161M▶

▲P08_162C
P08_162M▶

▲P08_163C
P08_163M▶

▲P08_164C
P08_164M▶

▲P08_165C
P08_165M▶

▲P08_166C
P08_166M▶

▲P08_167C
P08_167M▶

▲P08_168C
P08_168M▶

▲P08_169C
P08_169M▶

▲P08_170C
P08_170M▶

▲P08_171C
P08_171M▶

▲P08_172C
P08_172M▶

▲P08_173C
P08_173M ▶ 

▲P08_174C
P08_174M ▶ 

▲P08_175C
P08_175M ▶ 

▲P08_176C
P08_176M ▶ 

▲P08_177C
P08_177M ▶ 

▲P08_178C
P08_178M ▶ 

▲P08_179C
P08_179M ▶ 

▲P08_180C
P08_180M ▶ 

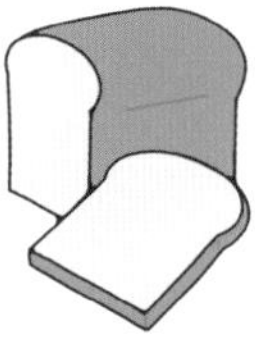
▲P08_181C
P08_181M ▶ 

▲P08_182C
P08_182M ▶ 

▲P08_183C
P08_183M ▶ 

▲P08_184C
P08_184M ▶ 

▲P08_185C
P08_185M ▶ 

▲P08_186C
P08_186M ▶ 

▲P08_187C
P08_187M ▶ 

▲P08_188C
P08_188M ▶ 

▲P08_189C
P08_189M ▶ 

▲P08_190C
P08_190M ▶ 

▲P08_191C
P08_191M ▶ 

▲P08_192C
P08_192M ▶ 

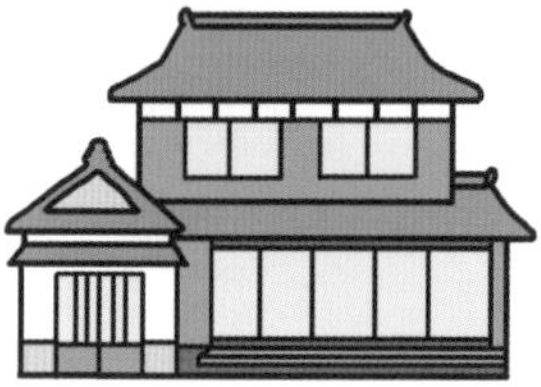

▲P09_001C

P09_001M ▶

▲P09_002C

P09_002M ▶

▲P09_003C

P09_003M ▶

▲P09_004C

P09_004M ▶

▲P09_005C

P09_005M ▶

▲P09_006C

P09_006M ▶

▲P09_007C

P09_007M ▶

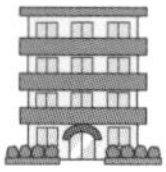

▲P09_008C

P09_008M ▶

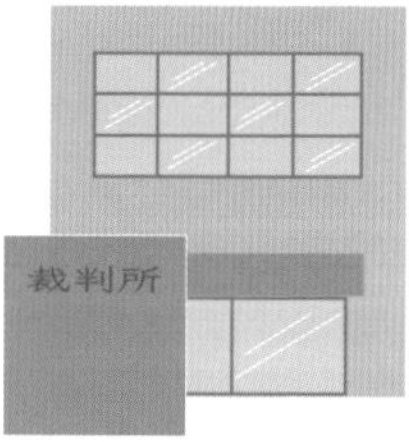

▲P09_009C

P09_009M ▶

▲P09_010C

P09_010M ▶

▲P09_011C

P09_011M ▶

▲P09_012C

P09_012M ▶

▲P09_013C

P09_013M ▶

▲P09_014C

P09_014M ▶

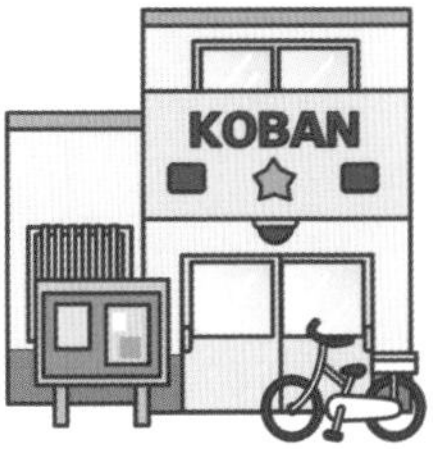

▲P09_015C

P09_015M ▶

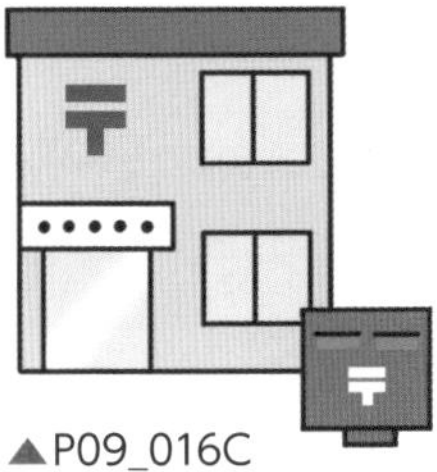

▲P09_016C

P09_016M ▶

▲P09_017C

P09_017M ▶

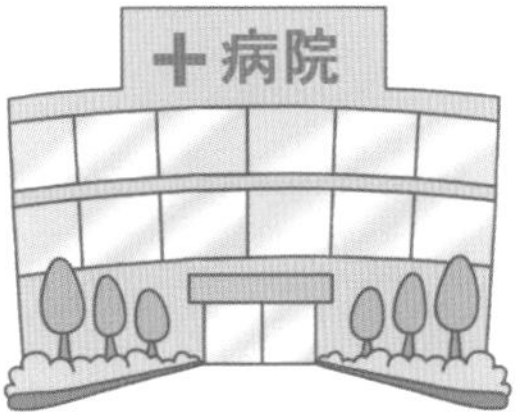

▲P09_018C

P09_018M ▶

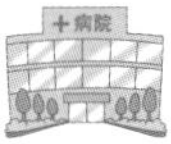

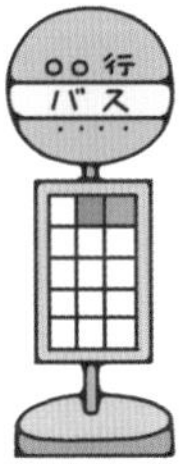

▲P09_019C

P09_019M ▶

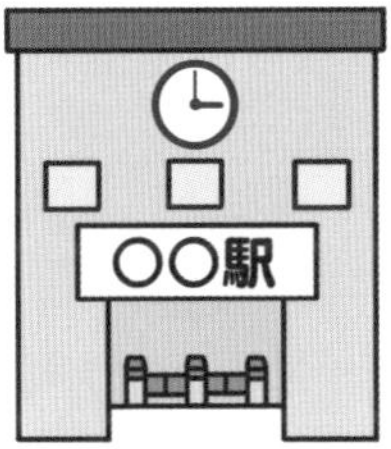

▲P09_020C

P09_020M ▶

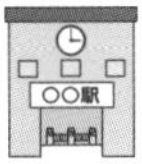

▲P09_021C

P09_021M ▶

▲P09_022C

P09_022M ▶

▲P09_023C

P09_023M ▶

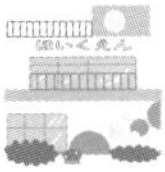

▲P09_024C

P09_024M ▶

図書館

▲P09_025C

P09_025M ▶

博物館

▲P09_026C

P09_026M ▶

体育館

▲P09_027C

P09_027M ▶

▲P09_028C

P09_028M ▶

▲P09_029C

P09_029M ▶

▲P09_030C

P09_030M ▶

介護施設

▲P09_031C

P09_031M ▶

▲P09_032C

P09_032M ▶

▲P09_033C

P09_033M ▶

神社

▲P09_034C

P09_034M ▶

お寺

▲P09_035C

P09_035M ▶

▲P09_036C

P09_036M ▶

百貨店

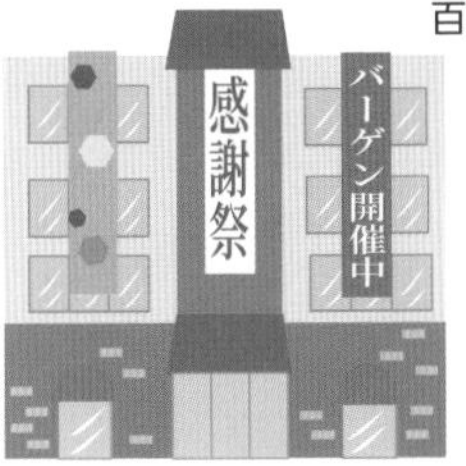

▲P09_037C

P09_037M▶

▲P09_038C

P09_038M▶

▲P09_039C

P09_039M▶

▲P09_040C

P09_040M▶

▲P09_041C

P09_041M▶

▲P09_042C

P09_042M▶

▲P09_043C

P09_043M▶

▲P09_044C

P09_044M▶

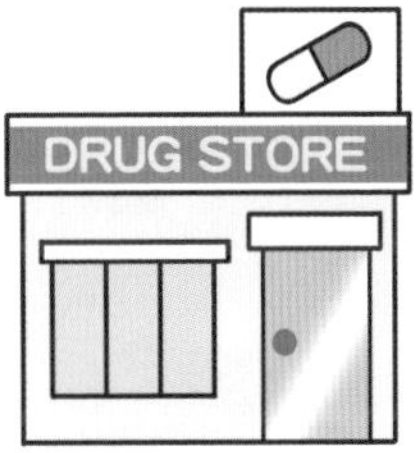

▲P09_045C

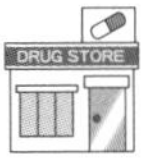

P09_045M▶

▲P09_046C

P09_046M▶

▲P09_047C

P09_047M▶

▲P09_048C

P09_048M▶

▲P09_049C
P09_049M ▶

▲P09_050C
P09_050M ▶

▲P09_051C
P09_051M ▶

▲P09_052C
P09_052M ▶

▲P09_053C
P09_053M ▶

▲P09_054C
P09_054M ▶

▲P09_055C
P09_055M ▶

▲P09_056C
P09_056M ▶

▲P09_057C
P09_057M ▶

▲P09_058C
P09_058M ▶

▲P09_059C
P09_059M ▶

▲P09_060C
P09_060M ▶

▲P09_061C

P09_061M ▶ 

▲P09_062C

P09_062M ▶ 

▲P09_063C

P09_063M ▶ 

▲P09_064C

P09_064M ▶ 

▲P09_065C

P09_065M ▶ 

▲P09_066C

P09_066M ▶ 

▲P09_067C

P09_067M ▶ 

スタジアム

▲P09_068C

P09_068M ▶ 

野球場

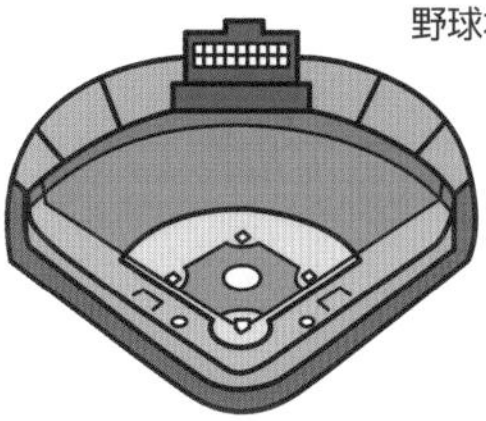

▲P09_069C

P09_069M ▶ 

▲P09_070C

P09_070M ▶ 

▲P09_071C

P09_071M ▶ 

工場

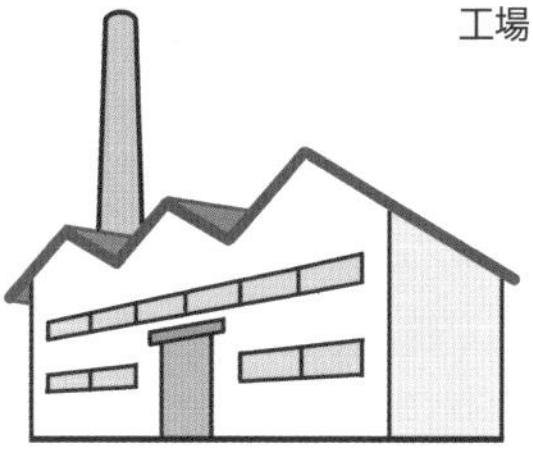

▲P09_072C

P09_072M ▶ 

▲P09_073C

P09_073M ▶

▲P09_074C

P09_074M ▶

▲P09_075C

P09_075M ▶

▲P09_076C

P09_076M ▶

▲P09_077C

P09_077M ▶

▲P09_078C

P09_078M ▶

▲P09_079C

P09_079M ▶

▲P09_080C

P09_080M ▶

▲P09_081C

P09_081M ▶

▲P09_082C

P09_082M ▶

▲P09_083C

P09_083M ▶

▲P09_084C

P09_084M ▶

東京タワー

▲P09_085C

P09_085M ▶

スカイツリー

▲P09_086C

P09_086M ▶

▲P09_087C

P09_087M ▶

浅草寺

▲P09_088C

P09_088M ▶

東京駅

▲P09_089C

P09_089M ▶

国会議事堂

▲P09_090C

P09_090M ▶

レインボーブリッジ

▲P09_091C

P09_091M ▶

横浜みなとみらい

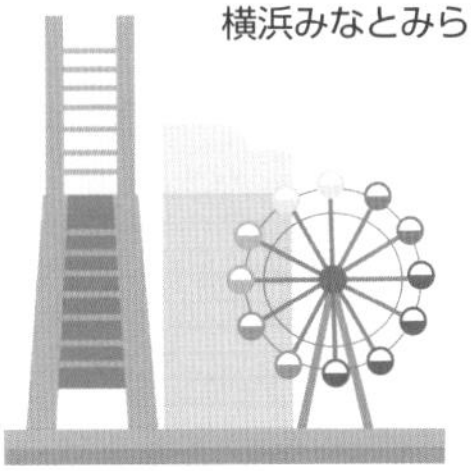

▲P09_092C

P09_092M ▶

中華街

▲P09_093C

P09_093M ▶

温泉街

▲P09_094C

P09_094M ▶

古民家街

▲P09_095C

P09_095M ▶

庭園

▲P09_096C

P09_096M ▶

▲P09_097C

P09_097M ▶

小樽

▲P09_098C

P09_098M ▶

北海道

▲P09_099C

P09_099M ▶

銀山温泉

▲P09_100C

P09_100M ▶

松島

▲P09_101C

P09_101M ▶

最上川

▲P09_102C

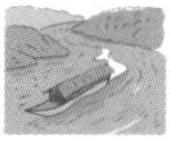

P09_102M ▶

合掌造り

▲P09_103C

P09_103M ▶

天橋立

▲P09_104C

P09_104M ▶

名古屋

▲P09_105C

P09_105M ▶

京都

▲P09_106C

P09_106M ▶

清水寺

▲P09_107C

P09_107M ▶

奈良

▲P09_108C

P09_108M ▶

大阪

▲P09_109C

P09_109M ▶

原爆ドーム

▲P09_110C

P09_110M ▶

厳島神社

▲P09_111C

P09_111M ▶

鳥取砂丘

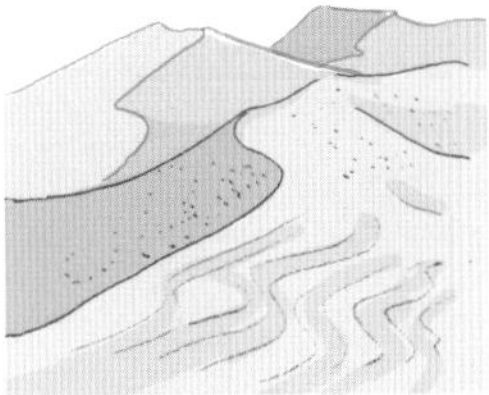

▲P09_112C

P09_112M ▶

出雲大社

▲P09_113C

P09_113M ▶

姫路城

▲P09_114C

P09_114M ▶

瀬戸大橋

▲P09_115C

P09_115M ▶

高千穂峡

▲P09_116C

P09_116M ▶

桜島

▲P09_117C

P09_117M ▶

長崎

▲P09_118C

P09_118M ▶

沖縄

▲P09_119C

P09_119M ▶

首里城

▲P09_120C

P09_120M ▶

サン・ピエトロ大聖堂（イタリア）

▲P09_121C

P09_121M ▶

コロッセオ（イタリア）

▲P09_122C

P09_122M ▶

ピサの斜塔（イタリア）

▲P09_123C

P09_123M ▶

エッフェル塔（フランス）

▲P09_124C

P09_124M ▶

モン・サン＝ミシェル（フランス）

▲P09_125C

P09_125M ▶

凱旋門（フランス）

▲P09_126C

P09_126M ▶

バッキンガム宮殿（イギリス）

▲P09_127C

P09_127M ▶

ビッグ・ベン（イギリス）

▲P09_128C

P09_128M ▶

パルテノン神殿（ギリシャ）

▲P09_129C

P09_129M ▶

ケルン大聖堂（ドイツ）

▲P09_130C

P09_130M ▶

サグラダ・ファミリア（スペイン）

▲P09_131C

P09_131M ▶

風車（オランダ）

▲P09_132C

P09_132M ▶

自由の女神（アメリカ）

▲P09_133C

P09_133M ▶ 

ハワイ

▲P09_134C

P09_134M ▶ 

マチュピチュ（ペルー）

▲P09_135C

P09_135M ▶ 

モアイ像（チリ）

▲P09_136C

P09_136M ▶ 

オペラハウス（オーストラリア）

▲P09_137C

P09_137M ▶ 

エアーズ・ロック（オーストラリア）

▲P09_138C

P09_138M ▶ 

マーライオン（シンガポール）

▲P09_139C

P09_139M ▶ 

タージ・マハル（インド）

▲P09_140C

P09_140M ▶ 

万里の長城（中国）

▲P09_141C

P09_141M ▶ 

アンコール・ワット（カンボジア）

▲P09_142C

P09_142M ▶ 

ピラミッドとスフィンクス（エジプト）

▲P09_143C

P09_143M ▶ 

アフリカ

▲P09_144C

P09_144M ▶ 

▲P10_001C
P10_001M ▶

▲P10_002C
P10_002M ▶

▲P10_003C
P10_003M ▶

▲P10_004C
P10_004M ▶

▲P10_005C
P10_005M ▶

▲P10_006C
P10_006M ▶

▲P10_007C
P10_007M ▶

▲P10_008C
P10_008M ▶

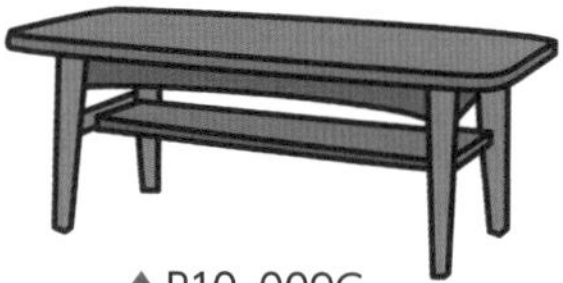
▲P10_009C
P10_009M ▶

▲P10_010C
P10_010M ▶

▲P10_011C
P10_011M ▶

▲P10_012C
P10_012M ▶

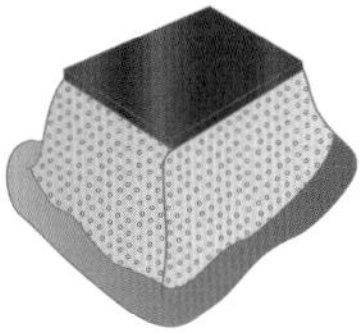
▲P10_013C
P10_013M▶

▲P10_014C
P10_014M▶

▲P10_015C
P10_015M▶

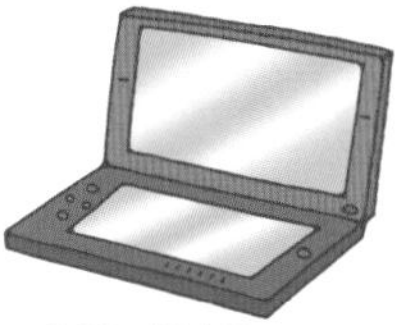
▲P10_016C
P10_016M▶

▲P10_017C
P10_017M▶

▲P10_018C
P10_018M▶

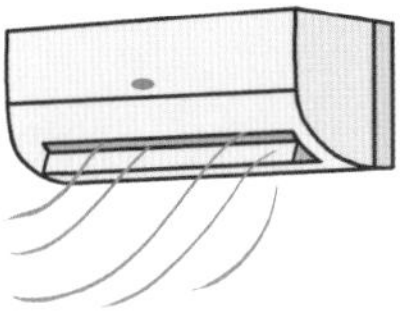
▲P10_019C
P10_019M▶
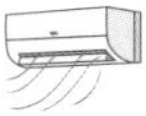

▲P10_020C
P10_020M▶

▲P10_021C
P10_021M▶

▲P10_022C
P10_022M▶

▲P10_023C
P10_023M▶

▲P10_024C
P10_024M▶

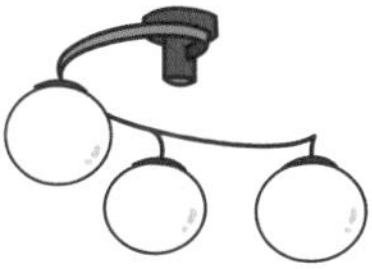
▲P10_025C
P10_025M▶

▲P10_026C
P10_026M▶

▲P10_027C
P10_027M▶

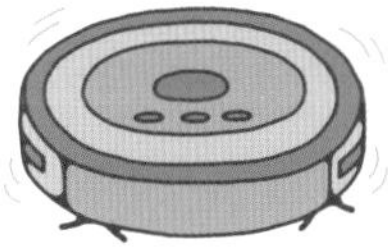
▲P10_028C
P10_028M▶

▲P10_029C
P10_029M▶

▲P10_030C
P10_030M▶

▲P10_031C
P10_031M▶

▲P10_032C
P10_032M▶

▲P10_033C

P10_033M ▶

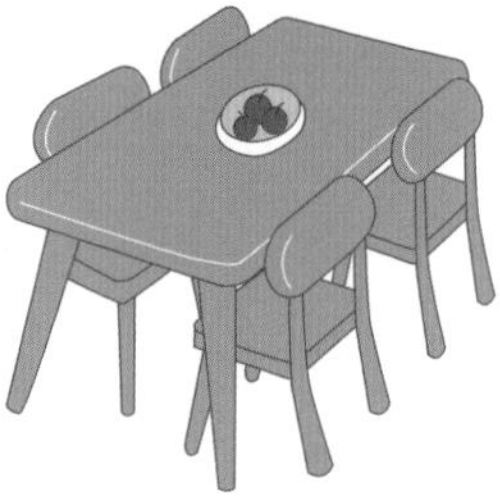

▲P10_034C

P10_034M ▶

▲P10_035C

P10_035M ▶

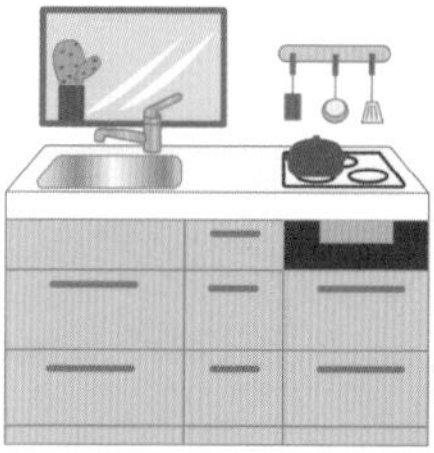

▲P10_036C

P10_036M ▶

▲P10_037C

P10_037M ▶

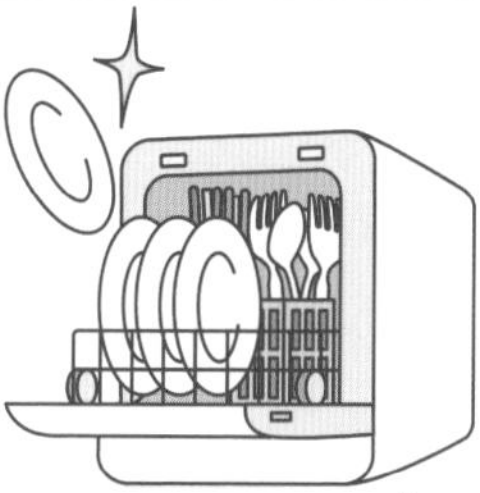

▲P10_038C

P10_038M ▶

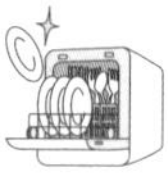

▲P10_039C

P10_039M ▶

▲P10_040C

P10_040M ▶

▲P10_041C

P10_041M ▶

▲P10_042C

P10_042M ▶

▲P10_043C

P10_043M ▶

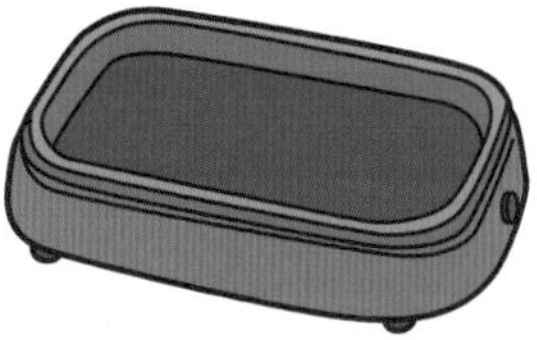

▲P10_044C

P10_044M ▶

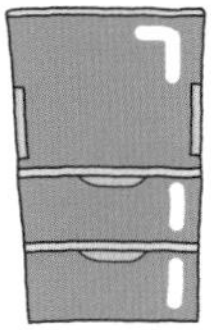
▲P10_045C
P10_045M▶

▲P10_046C
P10_046M▶

▲P10_047C
P10_047M▶

▲P10_048C
P10_048M▶

▲P10_049C
P10_049M▶

▲P10_050C
P10_050M▶

▲P10_051C
P10_051M▶

▲P10_052C
P10_052M▶

▲P10_053C
P10_053M▶

▲P10_054C
P10_054M▶

▲P10_055C
P10_055M▶

▲P10_056C
P10_056M▶

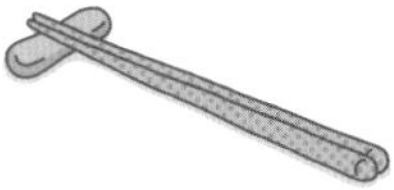
▲P10_057C
P10_057M▶

▲P10_058C
P10_058M▶

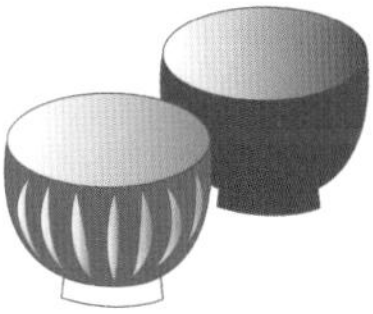
▲P10_059C
P10_059M▶

▲P10_060C
P10_060M▶

▲P10_061C
P10_061M▶

▲P10_062C
P10_062M▶

▲P10_063C
P10_063M▶

▲P10_064C
P10_064M▶

▲P10_065C
P10_065M▶

▲P10_066C
P10_066M▶

▲P10_067C
P10_067M▶

▲P10_068C
P10_068M▶

▲P10_069C
P10_069M▶

▲P10_070C
P10_070M▶

▲P10_071C
P10_071M▶

▲P10_072C
P10_072M▶

▲P10_073C
P10_073M▶

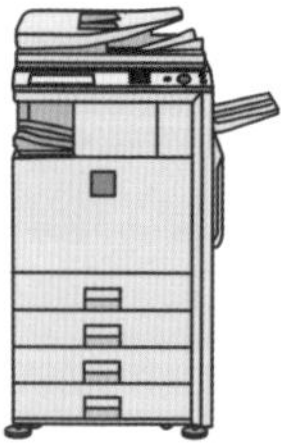
▲P10_074C
P10_074M▶

▲P10_075C
P10_075M▶

▲P10_076C
P10_076M▶

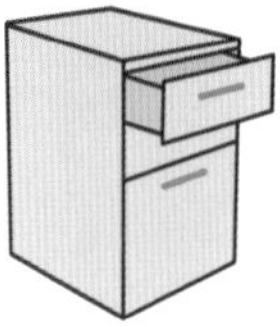
▲P10_077C
P10_077M ▶

▲P10_078C
P10_078M ▶

▲P10_079C
P10_079M ▶

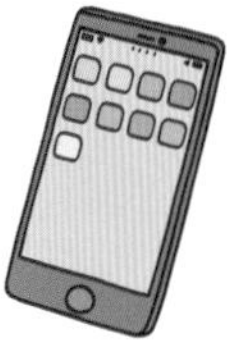
▲P10_080C
P10_080M ▶

▲P10_081C
P10_081M ▶

▲P10_082C
P10_082M ▶

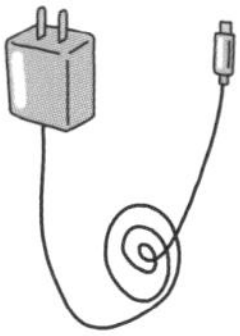
▲P10_083C
P10_083M ▶

▲P10_084C
P10_084M ▶

▲P10_085C
P10_085M ▶

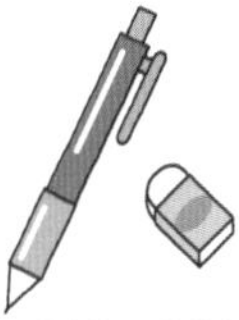
▲P10_086C
P10_086M ▶

▲P10_087C
P10_087M ▶

▲P10_088C
P10_088M ▶

▲P10_089C
P10_089M ▶

▲P10_090C
P10_090M ▶

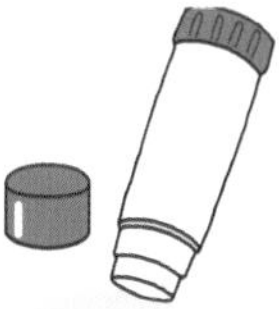
▲P10_091C
P10_091M ▶

▲P10_092C
P10_092M ▶

▲P10_093C
P10_093M ▶

▲P10_094C
P10_094M ▶

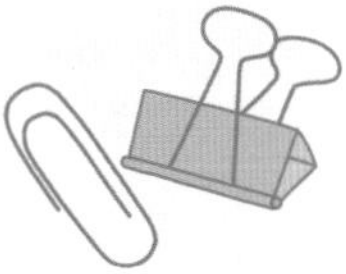
▲P10_095C
P10_095M ▶

▲P10_096C
P10_096M ▶

▲P10_097C
P10_097M ▶

▲P10_098C
P10_098M ▶

▲P10_099C
P10_099M ▶

▲P10_100C
P10_100M ▶

▲P10_101C
P10_101M ▶

▲P10_102C
P10_102M ▶

▲P10_103C
P10_103M ▶

▲P10_104C
P10_104M ▶

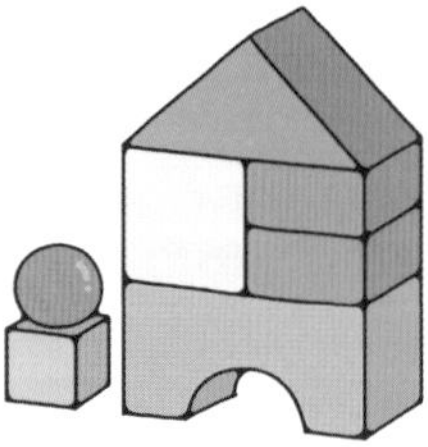
▲P10_105C
P10_105M ▶
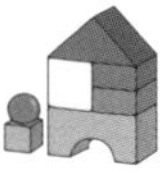

▲P10_106C
P10_106M ▶

▲P10_107C
P10_107M ▶

▲P10_108C
P10_108M ▶

▲P10_109C

P10_109M ▶

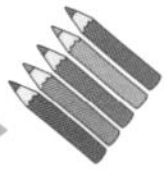

▲P10_110C

P10_110M ▶

▲P10_111C

P10_111M ▶

▲P10_112C

P10_112M ▶

▲P10_113C

P10_113M ▶

▲P10_114C

P10_114M ▶

▲P10_115C

P10_115M ▶

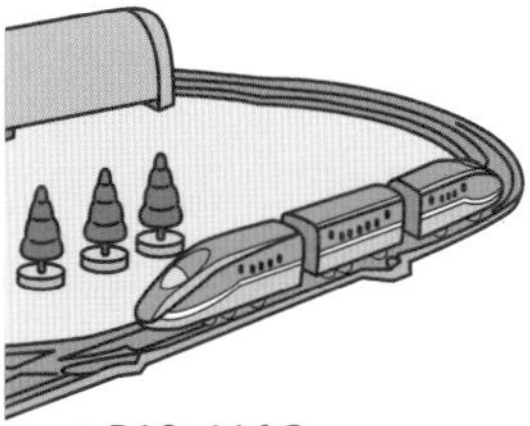

▲P10_116C

P10_116M ▶

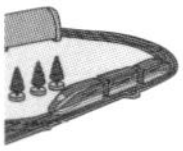

▲P10_117C

P10_117M ▶

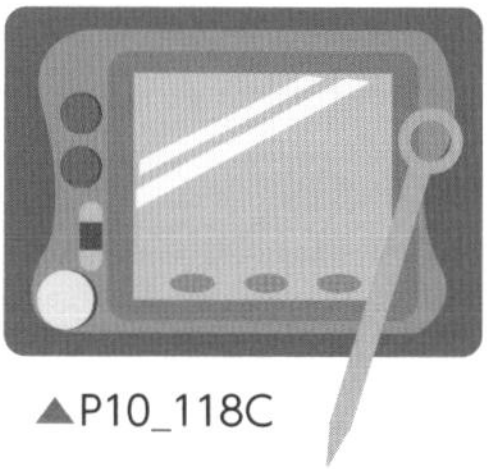

▲P10_118C

P10_118M ▶

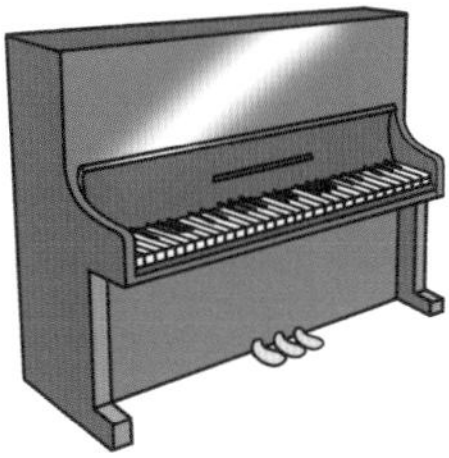

▲P10_119C

P10_119M ▶

▲P10_120C

P10_120M ▶

▲P10_121C
P10_121M▶

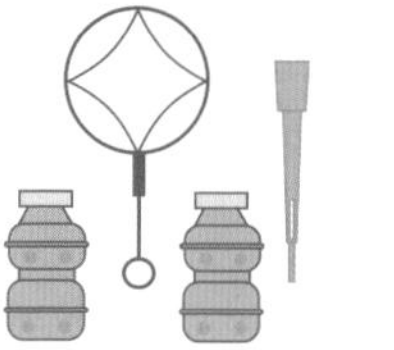
▲P10_122C
P10_122M▶
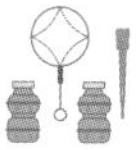

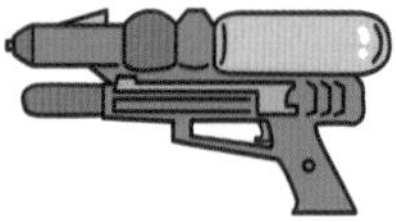
▲P10_123C
P10_123M▶

▲P10_124C
P10_124M▶

▲P10_125C
P10_125M▶

▲P10_126C
P10_126M▶

▲P10_127C
P10_127M▶

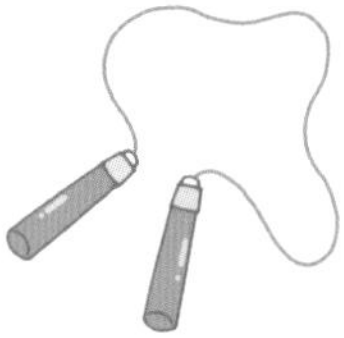
▲P10_128C
P10_128M▶
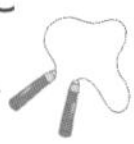

▲P10_129C
P10_129M▶

▲P10_130C
P10_130M▶

▲P10_131C
P10_131M▶

▲P10_132C
P10_132M▶

▲P10_133C
P10_133M▶

▲P10_134C
P10_134M▶

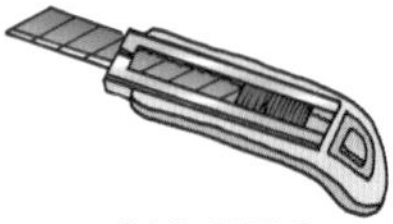
▲P10_135C
P10_135M▶

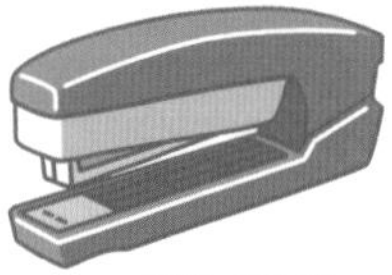
▲P10_136C
P10_136M▶

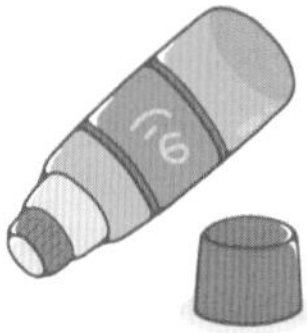
▲P10_137C
P10_137M▶

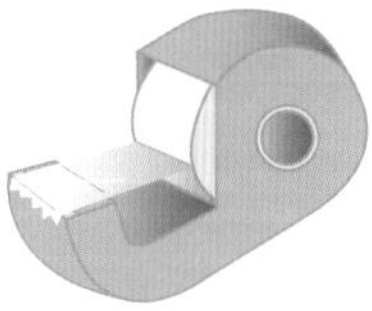
▲P10_138C
P10_138M▶

▲P10_139C
P10_139M▶

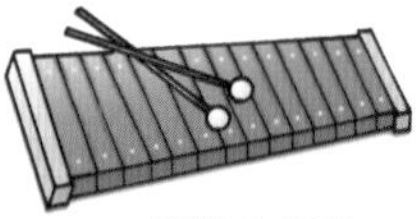
▲P10_140C
P10_140M▶

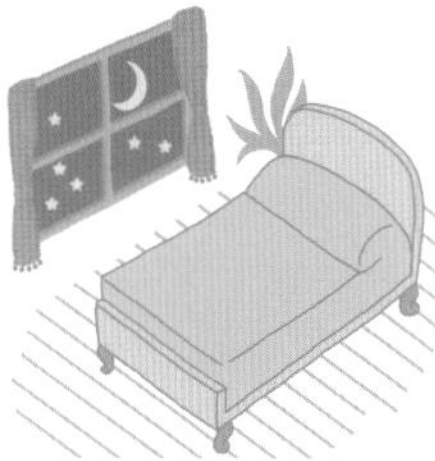

▲P10_141C

P10_141M▶

▲P10_142C

P10_142M▶

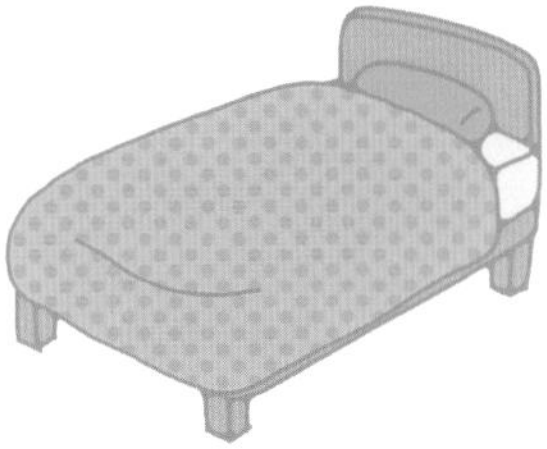

▲P10_143C

P10_143M▶

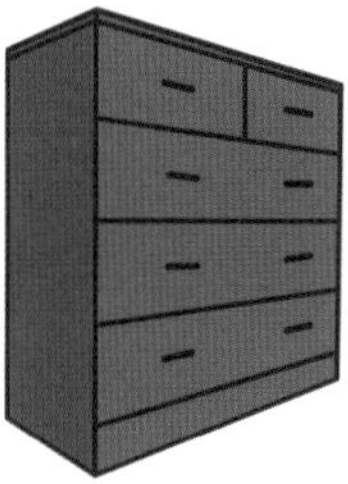

▲P10_144C

P10_144M▶

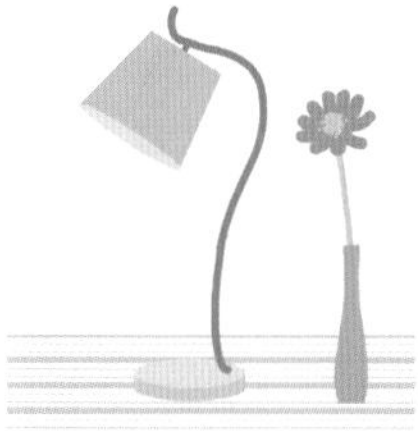

▲P10_145C

P10_145M▶

▲P10_146C

P10_146M▶

▲P10_147C

P10_147M▶

▲P10_148C

P10_148M▶

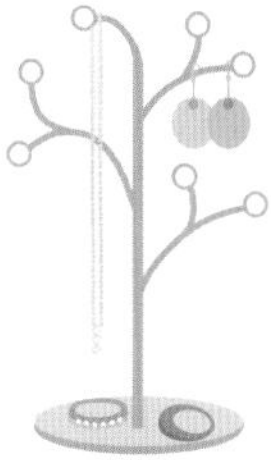

▲P10_149C

P10_149M▶

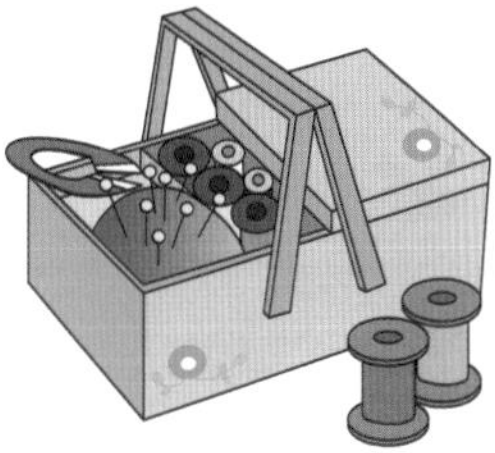

▲P10_150C

P10_150M▶

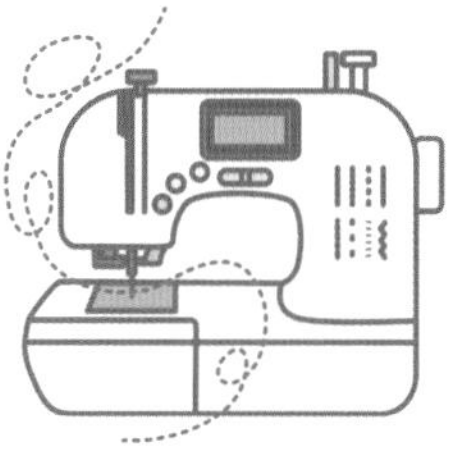

▲P10_151C

P10_151M▶

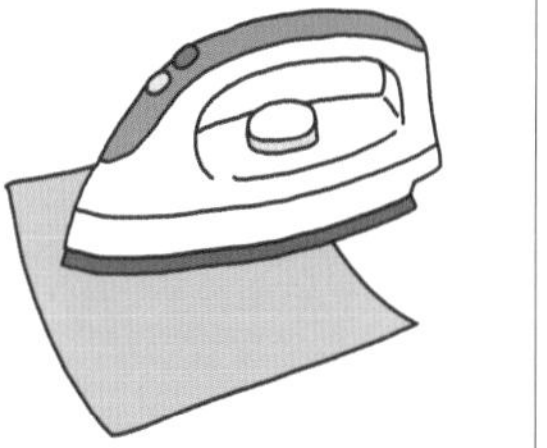

▲P10_152C

P10_152M▶

▲P10_153C
P10_153M ▶

▲P10_154C
P10_154M ▶

▲P10_155C
P10_155M ▶

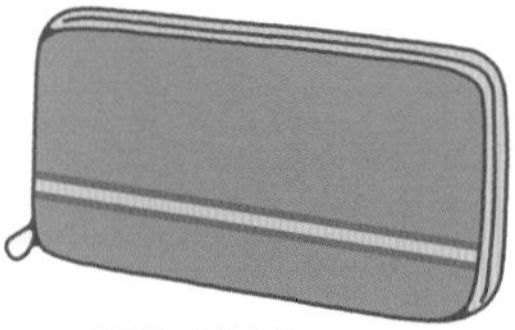
▲P10_156C
P10_156M ▶

▲P10_157C
P10_157M ▶

▲P10_158C
P10_158M ▶

▲P10_159C
P10_159M ▶

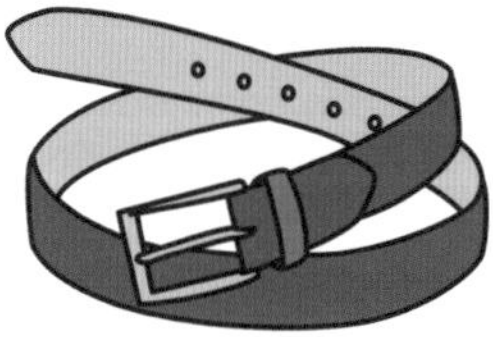
▲P10_160C
P10_160M ▶

▲P10_161C
P10_161M ▶

▲P10_162C
P10_162M ▶

▲P10_163C
P10_163M ▶

▲P10_164C
P10_164M ▶

▲P10_165C

P10_165M ▶

▲P10_166C

P10_166M ▶

▲P10_167C

P10_167M ▶

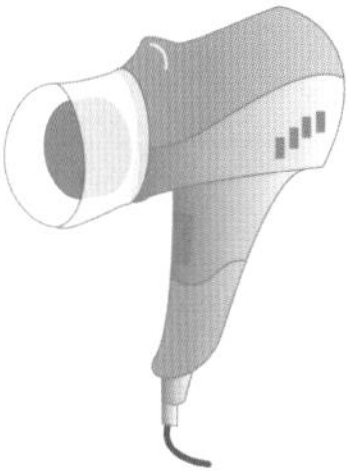

▲P10_168C

P10_168M ▶

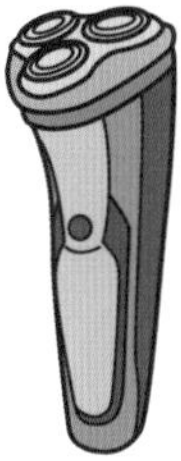

▲P10_169C

P10_169M ▶

▲P10_170C

P10_170M ▶

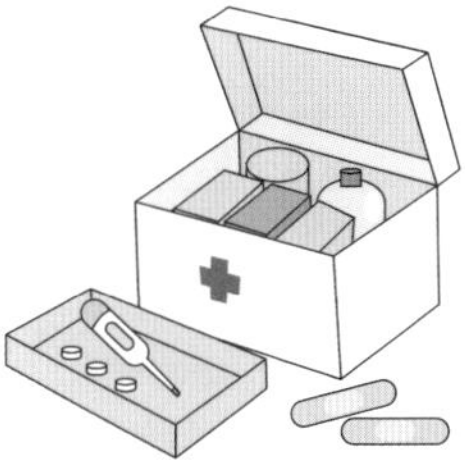

▲P10_171C

P10_171M ▶

▲P10_172C

P10_172M ▶

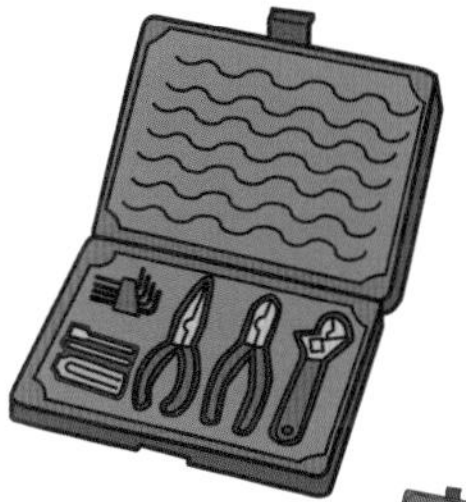

▲P10_173C

P10_173M ▶

▲P10_174C

P10_174M ▶

▲P10_175C

P10_175M ▶

▲P10_176C

P10_176M ▶

▲P10_177C

P10_177M ▶ 

▲P10_178C

P10_178M ▶ 

▲P10_179C

P10_179M ▶ 

▲P10_180C

P10_180M ▶ 

▲P10_181C

P10_181M ▶ 

▲P10_182C

P10_182M ▶ 

▲P10_183C

P10_183M ▶ 

クレーン車

▲P10_184C

P10_184M ▶ 

ブルドーザー

▲P10_185C

P10_185M ▶ 

▲P10_186C

P10_186M ▶ 

▲P10_187C

P10_187M ▶ 

▲P10_188C

P10_188M ▶ 

▲P10_189C
P10_189M ▶

▲P10_190C
P10_190M ▶

▲P10_191C
P10_191M ▶

▲P10_192C
P10_192M ▶

▲P10_193C
P10_193M ▶

▲P10_194C
P10_194M ▶

キャンピングカー

▲P10_195C
P10_195M ▶

▲P10_196C
P10_196M ▶

ショベルカー

▲P10_197C
P10_197M ▶

タンクローリー

▲P10_198C
P10_198M ▶

▲P10_199C
P10_199M ▶

▲P10_200C
P10_200M ▶

電動自転車

▲P10_201C
P10_201M ▶

▲P10_202C
P10_202M ▶

▲P10_203C
P10_203M ▶

▲P10_204C
P10_204M ▶

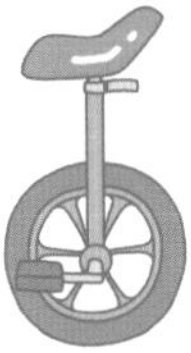
▲P10_205C
P10_205M ▶

▲P10_206C
P10_206M ▶

▲P10_207C
P10_207M ▶

▲P10_208C
P10_208M ▶

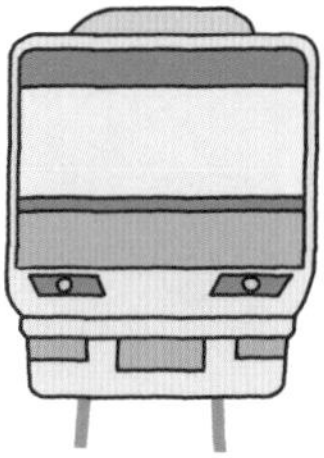
▲P10_209C
P10_209M ▶

▲P10_210C
P10_210M ▶

▲P10_211C
P10_211M ▶
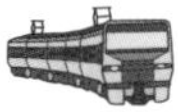

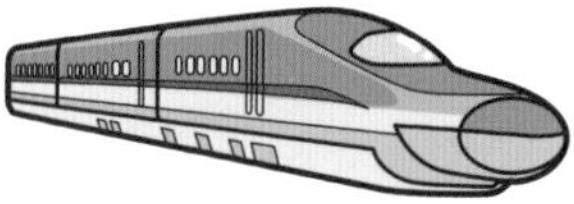
▲P10_212C
P10_212M ▶

▲P10_213C
P10_213M ▶

▲P10_214C
P10_214M ▶
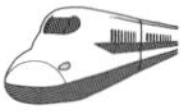

モノレール

▲P10_0215C
P10_215M ▶

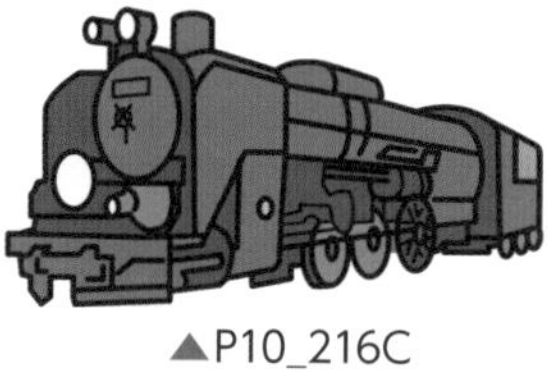
▲P10_216C
P10_216M ▶

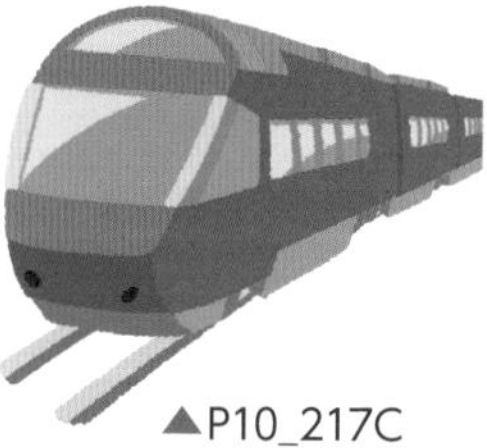
▲P10_217C
P10_217M ▶

▲P10_218C
P10_218M ▶

▲P10_219C
P10_219M ▶

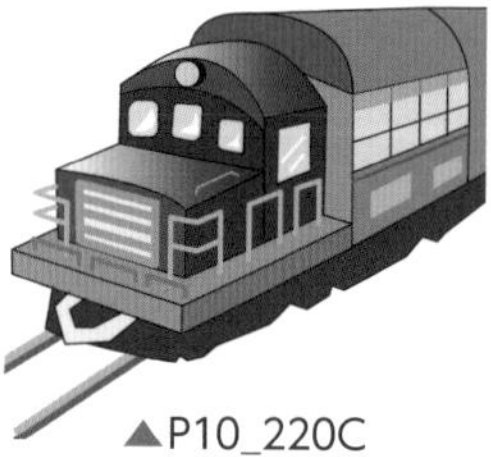
▲P10_220C
P10_220M ▶

▲P10_221C
P10_221M ▶

▲P10_222C
P10_222M ▶

▲P10_223C
P10_223M ▶

▲P10_224C
P10_224M ▶

スペースシャトル

▲P10_225C
P10_225M ▶

▲P10_226C
P10_226M ▶

▲P10_227C
P10_227M ▶

飛行船

▲P10_228C
P10_228M ▶

▲P10_229C
P10_229M ▶

▲P10_230C
P10_230M ▶

▲P10_231C
P10_231M ▶

▲P10_232C
P10_232M ▶

▲P10_233C
P10_233M ▶

▲P10_234C
P10_234M ▶

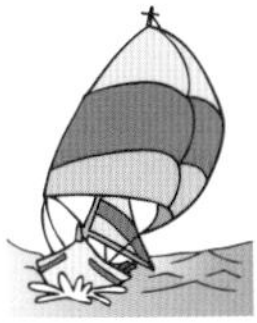
▲P10_235C
P10_235M ▶

▲P10_236C
P10_236M ▶

イージス艦

▲P10_237C
P10_237M ▶

▲P10_238C
P10_238M ▶

▲P10_239C
P10_239M ▶

▲P10_240C
P10_240M ▶

▲P11_001C

P11_001M ▶

▲P11_002C

P11_002M ▶

▲P11_003C

P11_003M ▶

▲P11_004C

P11_004M ▶

▲P11_005C

P11_005M ▶

▲P11_006C

P11_006M ▶

▲P11_007C

P11_007M ▶

▲P11_008C

P11_008M ▶

▲P11_009C

P11_009M ▶

▲P11_010C

P11_010M ▶

▲P11_011C

P11_011M ▶

▲P11_012C

P11_012M ▶

▲P11_013C

P11_013M▶

▲P11_014C

P11_014M▶

▲P11_015C

P11_015M▶

▲P11_016C

P11_016M▶

▲P11_017C

P11_017M▶

▲P11_018C

P11_018M▶

▲P11_019C

P11_019M▶

▲P11_020C

P11_020M▶

▲P11_021C

P11_021M▶

▲P11_022C

P11_022M▶

▲P11_023C

P11_023M▶

▲P11_024C

P11_024M▶

▲P11_025C

P11_025M▶ 

▲P11_026C

P11_026M▶ 

▲P11_027C

P11_027M▶ 

▲P11_028C

P11_028M▶ 

▲P11_029C

P11_029M▶ 

▲P11_030C

P11_030M▶ 

▲P11_031C

P11_031M▶ 

▲P11_032C

P11_032M▶ 

▲P11_033C

P11_033M▶ 

▲P11_034C

P11_034M▶ 

▲P11_035C

P11_035M▶ 

▲P11_036C

P11_036M▶ 

▲P11_037C

P11_037M ▶

▲P11_038C

P11_038M ▶

▲P11_039C

P11_039M ▶

▲P11_040C

P11_040M ▶

▲P11_041C

P11_041M ▶

▲P11_042C

P11_042M ▶

▲P11_043C

P11_043M ▶

▲P11_044C

P11_044M ▶

▲P11_045C

P11_045M ▶

▲P11_046C

P11_046M ▶

▲P11_047C

P11_047M ▶

▲P11_048C

P11_048M ▶

▲P11_049C

P11_049M▶

▲P11_050C

P11_050M▶

▲P11_051C

P11_051M▶

▲P11_052C

P11_052M▶

▲P11_053C

P11_053M▶

▲P11_054C

P11_054M▶

▲P11_055C

P11_055M▶

▲P11_056C

P11_056M▶

▲P11_057C

P11_057M▶

▲P11_058C

P11_058M▶

▲P11_059C

P11_059M▶

▲P11_060C

P11_060M▶

おひつじ座

▲P11_061C

P11_061M▶

おうし座

▲P11_062C

P11_062M▶

ふたご座

▲P11_063C

P11_063M▶

かに座

▲P11_064C

P11_064M▶

しし座

▲P11_065C

P11_065M▶

おとめ座

▲P11_066C

P11_066M▶

てんびん座

▲P11_067C

P11_067M▶

さそり座

▲P11_068C

P11_068M▶

いて座

▲P11_069C

P11_069M▶

やぎ座

▲P11_070C

P11_070M▶

みずがめ座

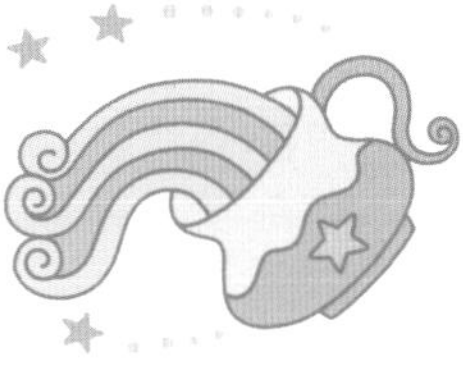

▲P11_071C

P11_071M▶

うお座

▲P11_072C

P11_072M▶

おひつじ座

▲P11_073C

P11_073M▶

おうし座

▲P11_074C

P11_074M▶

ふたご座

▲P11_075C

P11_075M▶

かに座

▲P11_076C

P11_076M▶

しし座

▲P11_077C

P11_077M▶

おとめ座

▲P11_078C

P11_078M▶

てんびん座

▲P11_079C

P11_079M▶

さそり座

▲P11_080C

P11_080M▶

いて座

▲P11_081C

P11_081M▶

やぎ座

▲P11_082C

P11_082M▶

みずがめ座

▲P11_083C

P11_083M▶

うお座

▲P11_084C

P11_084M▶

おひつじ座

▲P11_085C

P11_085M▶

おうし座

▲P11_086C

P11_086M▶

ふたご座

▲P11_087C

P11_087M▶

かに座

▲P11_088C

P11_088M▶

しし座

▲P11_089C

P11_089M▶

おとめ座

▲P11_090C

P11_090M▶

てんびん座

▲P11_091C

P11_091M▶

さそり座

▲P11_092C

P11_092M▶

いて座

▲P11_093C

P11_093M▶

やぎ座

▲P11_094C

P11_094M▶

みずがめ座

▲P11_095C

P11_095M▶

うお座

▲P11_096C

P11_096M▶

桃太郎

▲P11_097C

P11_097M▶

桃太郎

▲P11_098C

P11_098M▶

浦島太郎

▲P11_099C

P11_099M▶

花さかじいさん

▲P11_100C

P11_100M▶

花さかじいさん

▲P11_101C

P11_101M▶

おむすびころりん

▲P11_102C

P11_102M▶

かぐや姫

▲P11_103C

P11_103M▶

かぐや姫

▲P11_104C

P11_104M▶

かさ地蔵

▲P11_105C

P11_105M▶

一寸法師

▲P11_106C

P11_106M▶

金太郎

▲P11_107C

P11_107M▶

一休さん

▲P11_108C

P11_108M▶

さるかに合戦

▲P11_109C

P11_109M ▶

さるかに合戦

▲P11_110C

P11_110M ▶

つるの恩返し

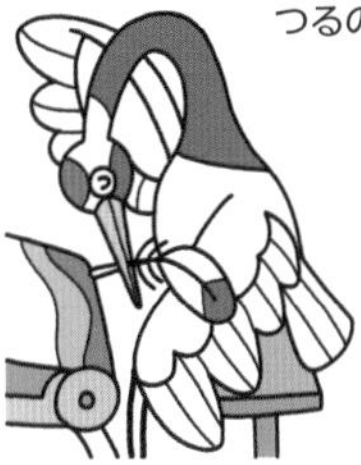

▲P11_111C

P11_111M ▶

舌切りすずめ

▲P11_112C

P11_112M ▶

かちかち山

▲P11_113C

P11_113M ▶

いなばの
白うさぎ

▲P11_114C

P11_114M ▶

うさぎとかめ

▲P11_115C

P11_115M ▶

てぶくろを買いに

▲P11_116C

P11_116M ▶

泣いた赤鬼

▲P11_117C

P11_117M ▶

ねずみの嫁入り

▲P11_118C

P11_118M ▶

きつねの嫁入り

▲P11_119C

P11_119M ▶

雪おんな

▲P11_120C

P11_120M ▶

白雪姫

▲P11_121C

P11_121M▶

シンデレラ

▲P11_122C

P11_122M▶

人魚姫

▲P11_123C

P11_123M▶

親指姫

▲P11_124C

P11_124M▶

赤ずきんちゃん

▲P11_125C

P11_125M▶

ジャックと豆の木

▲P11_126C

P11_126M▶

ヘンゼルとグレーテル

▲P11_127C

P11_127M▶

青い鳥

▲P11_128C

P11_128M▶

マッチ売りの少女

▲P11_129C

P11_129M▶

はだかの王様

▲P11_130C

P11_130M▶

大きなかぶ

▲P11_131C

P11_131M▶

金の斧 銀の斧

▲P11_132C

P11_132M▶

アリとキリギリス

▲P11_133C

P11_133M ▶

北風と太陽

▲P11_134C

P11_134M ▶

ブレーメンの音楽隊

▲P11_135C

P11_135M ▶

3匹の子ブタ

▲P11_136C

P11_136M ▶

オオカミと7匹の子ヤギ

▲P11_137C

P11_137M ▶

欲ばりなイヌ

▲P11_138C

P11_138M ▶

長靴をはいたネコ

▲P11_139C

P11_139M ▶

みにくいアヒルの子

▲P11_140C

P11_140M ▶

カエルとウシ

▲P11_141C

P11_141M ▶

ライオンとネズミ

▲P11_142C

P11_142M ▶

不思議の国のアリス

▲P11_143C

P11_143M ▶

アラジンと魔法のランプ

▲P11_144C

P11_144M ▶

森のくまさん

▲P11_145C

P11_145M ▶

ちょうちょ

▲P11_146C

P11_146M ▶

犬のおまわりさん

▲P11_147C

P11_147M ▶

てんとう虫のサンバ

▲P11_148C

P11_148M ▶

カエルの合唱

▲P11_149C

P11_149M ▶

ぶんぶんぶん

▲P11_150C

P11_150M ▶

どんぐりころころ

▲P11_151C

P11_151M ▶

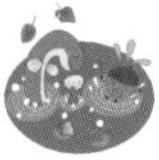

カモメの水兵さん

▲P11_152C

P11_152M ▶

メダカの学校

▲P11_153C

P11_153M ▶

山の音楽家

▲P11_154C

P11_154M ▶

やぎさんゆうびん

▲P11_155C

P11_155M ▶

おつかいアリさん

▲P11_156C

P11_156M ▶

むすんでひらいて

▲P11_157C

P11_157M ▶

手のひらを太陽に

▲P11_158C

P11_158M ▶

シャボン玉

▲P11_159C

P11_159M ▶

たきび

▲P11_160C

P11_160M ▶

線路は続くよどこまでも

▲P11_161C

P11_161M ▶

おもちゃのチャチャチャ

▲P11_162C

P11_162M ▶

ふしぎなポケット

▲P11_163C

P11_163M ▶

やきいもグーチーパー

▲P11_164C

P11_164M ▶

雨ふりくまのこ

▲P11_165C

P11_165M ▶

きらきら星

▲P11_166C

P11_166M ▶

ゆりかごのうた

▲P11_167C

P11_167M ▶

月の砂漠

▲P11_168C

P11_168M ▶

▲P12_001C
P12_001M▶ 

▲P12_002C
P12_002M▶ 

おでかけ・旅行

▲P12_003C
P12_003M▶ 

おでかけ・旅行
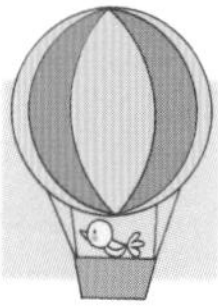
▲P12_004C
P12_004M▶ 

旅行・出張

▲P12_005C
P12_005M▶ 

出張

▲P12_006C
P12_006M▶ 

出勤日

▲P12_007C
P12_007M▶ 

会議・打ち合わせ

▲P12_008C
P12_008M▶ 

提出日・締切

▲P12_009C
P12_009M▶ 

給料日・おこづかい

▲P12_010C
P12_010M▶ 

給料日・おこづかい

▲P12_011C
P12_011M▶ 

お休み・休日

▲P12_012C
P12_012M▶ 

学校の日
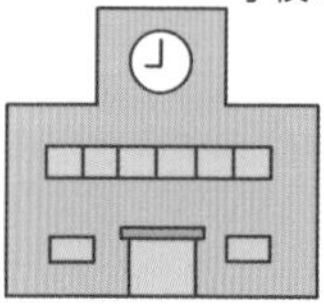
▲P12_013C
P12_013M▶ 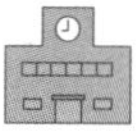

▲P12_014C
P12_014M▶ 

▲P12_015C
P12_015M▶ 

お弁当の日

▲P12_016C
P12_016M▶ 

▲P12_017C
P12_017M▶ 

習い事・スポーツ

▲P12_018C
P12_018M▶ 

▲P12_019C
P12_019M▶ 

ショッピング

▲P12_020C
P12_020M▶ 

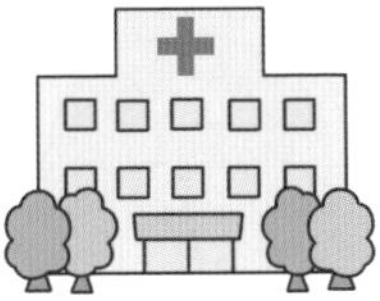
▲P12_021C

P12_021M▶
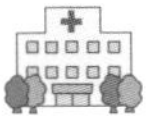

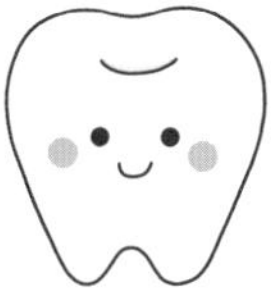
▲P12_022C

P12_022M▶
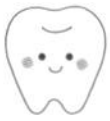

▲P12_023C

P12_023M▶

▲P12_024C

P12_024M▶

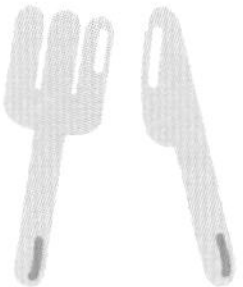
▲P12_025C

P12_025M▶

▲P12_026C

P12_026M▶

▲P12_027C

P12_027M▶

▲P12_028C

P12_028M▶

▲P12_029C

P12_029M▶

▲P12_030C

P12_030M▶

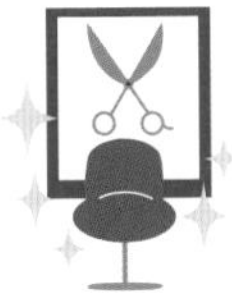
▲P12_031C

P12_031M▶

▲P12_032C

P12_032M▶

▲P12_033C

P12_033M▶

▲P12_034C

P12_034M▶

▲P12_035C

P12_035M▶

▲P12_036C

P12_036M▶

▲P12_037C

P12_037M▶

▲P12_038C

P12_038M▶

▲P12_039C

P12_039M▶

▲P12_040C

P12_040M▶

▲P12_041C
P12_041M ▶

▲P12_042C
P12_042M ▶

▲P12_043C
P12_043M ▶

▲P12_044C
P12_044M ▶

▲P12_045C
P12_045M ▶

▲P12_046C
P12_046M ▶

▲P12_047C
P12_047M ▶

▲P12_048C
P12_048M ▶

▲P12_049C
P12_049M ▶

▲P12_050C
P12_050M ▶

▲P12_051C
P12_051M ▶

▲P12_052C
P12_052M ▶

▲P12_053C
P12_053M ▶

▲P12_054C
P12_054M ▶

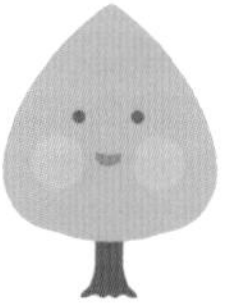
▲P12_055C
P12_055M ▶

▲P12_056C
P12_056M ▶

▲P12_057C
P12_057M ▶

▲P12_058C
P12_058M ▶

▲P12_059C
P12_059M ▶

▲P12_060C
P12_060M ▶

▲P12_061C

P12_061M▶ 

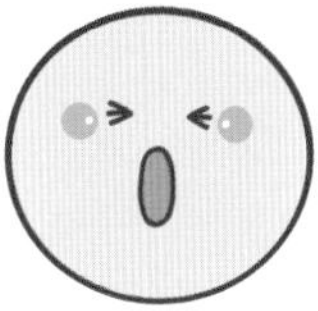

▲P12_062C

P12_062M▶ 

▲P12_063C

P12_063M▶ 

▲P12_064C

P12_064M▶ 

▲P12_065C

P12_065M▶ 

▲P12_066C

P12_066M▶ 

▲P12_067C

P12_067M▶ 

▲P12_068C

P12_068M▶ 

▲P12_069C

P12_069M▶ 

▲P12_070C

P12_070M▶ 

▲P12_071C

P12_071M▶ 

▲P12_072C

P12_072M▶ 

▲P12_073C

P12_073M▶ 

▲P12_074C

P12_074M▶ 

▲P12_075C

P12_075M▶ 

▲P12_076C

P12_076M▶ 

▲P12_077C

P12_077M▶ 

▲P12_078C

P12_078M▶ 

▲P12_079C

P12_079M▶ 

▲P12_080C

P12_080M▶ 

▲P12_081C

P12_081M▶

▲P12_082C

P12_082M▶

▲P12_083C

P12_083M▶

▲P12_084C

P12_084M▶

▲P12_085C

P12_085M▶

▲P12_086C

P12_086M▶

▲P12_087C

P12_087M▶

▲P12_088C

P12_088M▶

▲P12_089C

P12_089M▶

▲P12_090C

P12_090M▶

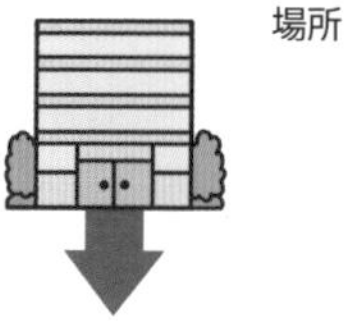

▲P12_091C

P12_091M▶

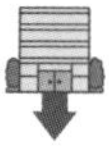

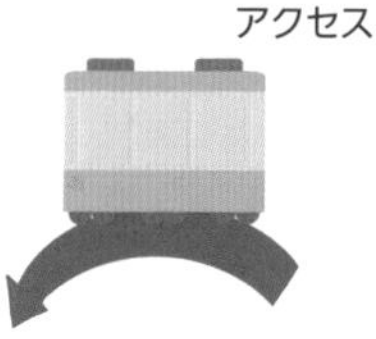

▲P12_092C

P12_092M▶

▲P12_093C

P12_093M▶

▲P12_094C

P12_094M▶

▲P12_095C

P12_095M▶

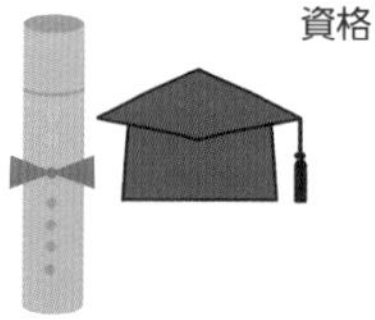

▲P12_096C

P12_096M▶

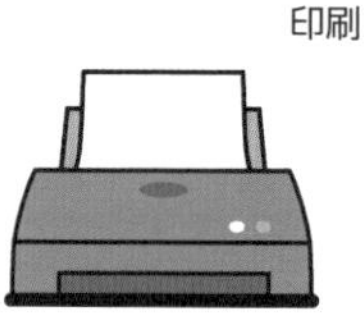

▲P12_097C

P12_097M▶

▲P12_098C

P12_098M▶

▲P12_099C

P12_099M▶

▲P12_100C

P12_100M▶

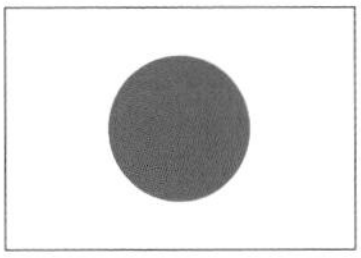

▲P12_101C

P12_101M▶ 

韓国

▲P12_102C

P12_102M▶ 

中国

▲P12_103C

P12_103M▶ 

インド

▲P12_104C

P12_104M▶ 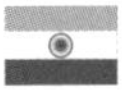

アラブ

▲P12_105C

P12_105M▶ 

インドネシア

▲P12_106C

P12_106M▶ 

タイ

▲P12_107C

P12_107M▶ 

シンガポール

▲P12_108C

P12_108M▶ 

マレーシア

▲P12_109C

P12_109M▶ 

ベトナム

▲P12_110C

P12_110M▶ 

フィリピン

▲P12_111C

P12_111M▶ 

イラク

▲P12_112C

P12_112M▶ 

イラン

▲P12_113C

P12_113M▶ 

トルコ

▲P12_114C

P12_114M▶ 

アメリカ

▲P12_115C

P12_115M▶ 

カナダ

▲P12_116C

P12_116M▶ 

キューバ

▲P12_117C

P12_117M▶ 

ジャマイカ

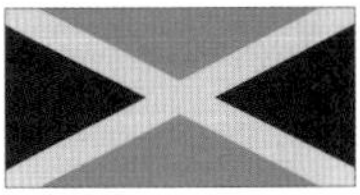

▲P12_118C

P12_118M▶ 

ブラジル

▲P12_119C

P12_119M▶ 

チリ

▲P12_120C

P12_120M▶ 

アルゼンチン

▲P12_121C

P12_121M ▶ 

ウルグアイ

▲P12_122C

P12_122M ▶ 

コロンビア

▲P12_123C

P12_123M ▶ 

イギリス

▲P12_124C

P12_124M ▶ 

フランス

▲P12_125C

P12_125M ▶ 

イタリア

▲P12_126C

P12_126M ▶ 

ドイツ

▲P12_127C

P12_127M ▶ 

スペイン

▲P12_128C

P12_128M ▶ 

オーストリア

▲P12_129C

P12_129M ▶ 

ギリシャ

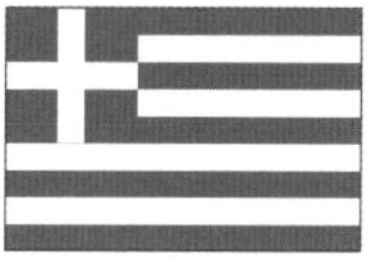

▲P12_130C

P12_130M ▶ 

スイス

▲P12_131C

P12_131M ▶ 

チェコ

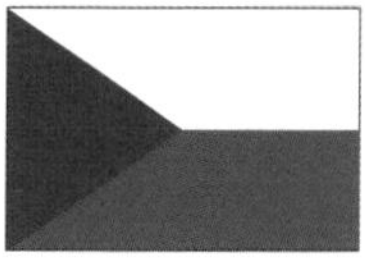

▲P12_132C

P12_132M ▶ 

ハンガリー

▲P12_133C

P12_133M ▶ 

スウェーデン

▲P12_134C

P12_134M ▶ 

ノルウェー

▲P12_135C

P12_135M ▶ 

フィンランド

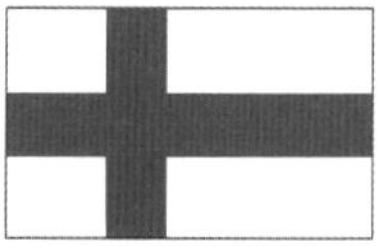

▲P12_136C

P12_136M ▶ 

オランダ

▲P12_137C

P12_137M ▶ 

デンマーク

▲P12_138C

P12_138M ▶ 

ベルギー

▲P12_139C

P12_139M ▶ 

ポーランド

▲P12_140C

P12_140M ▶ 

ロシア

▲P12_141C

P12_141M ▶

南アフリカ

▲P12_142C

P12_142M ▶

ケニア

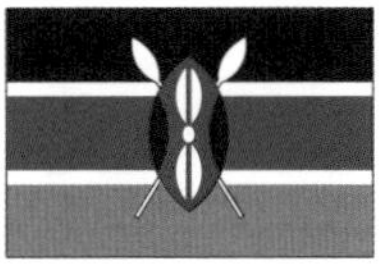

▲P12_143C

P12_143M ▶

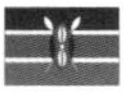

エジプト

▲P12_144C

P12_144M ▶

ガーナ

▲P12_145C

P12_145M ▶

オーストラリア

▲P12_146C

P12_146M ▶

ニュージーランド

▲P12_147C

P12_147M ▶

▲P12_148C

P12_148M ▶

▲P12_149C

P12_149M ▶

▲P12_150C

P12_150M ▶

▲P12_151C

P12_151M ▶

▲P12_152C

P12_152M ▶

▲P12_153C

P12_153M▶

▲P12_154C

P12_154M▶

▲P12_155C

P12_155M▶

▲P12_156C

P12_156M▶

▲P12_157C

P12_157M▶

▲P12_158C

P12_158M▶

▲P12_159C

P12_159M▶

▲P12_160C

P12_160M▶

▲P12_161C

P12_161M▶

▲P12_162C

P12_162M▶

▲P12_163C

P12_163M▶

▲P12_164C

P12_164M▶

▲P12_165C

P12_165M ▶ 

▲P12_166C

P12_166M ▶ 

▲P12_167C

P12_167M ▶ 

▲P12_168C

P12_168M ▶ 

▲P12_169C

P12_169M ▶ 

▲P12_170C

P12_170M ▶ 

▲P12_171C

P12_171M ▶ 

▲P12_172C

P12_172M ▶ 

▲P12_173C

P12_173M ▶ 

▲P12_174C

P12_174M ▶ 

▲P12_175C

P12_175M ▶ 

▲P12_176C

P12_176M ▶ 

▲P12_177C

P12_177M ▶

▲P12_178C

P12_178M ▶

▲P12_179C

P12_179M ▶

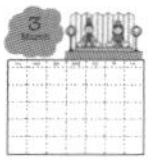

▲P12_180C

P12_180M ▶

▲P12_181C

P12_181M ▶

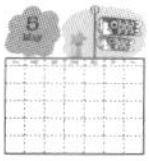

▲P12_182C

P12_182M ▶

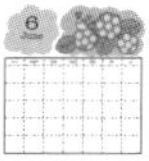

▲P12_183C

P12_183M ▶

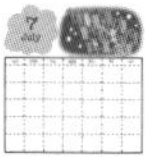

▲P12_184C

P12_184M ▶

▲P12_185C

P12_185M ▶

▲P12_186C

P12_186M ▶

▲P12_187C

P12_187M ▶

▲P12_188C

P12_188M ▶

▲P12_189C

P12_189M▶

▲P12_190C

P12_190M▶

▲P12_191C

P12_191M▶

▲P12_192C

P12_192M▶

▲P12_193C

P12_193M▶

▲P12_194C

P12_194M▶

▲P12_195C

P12_195M▶

▲P12_196C

P12_196M▶

▲P12_197C

P12_197M▶

▲P12_198C

P12_198M▶

▲P12_199C

P12_199M▶

▲P12_200C

P12_200M▶

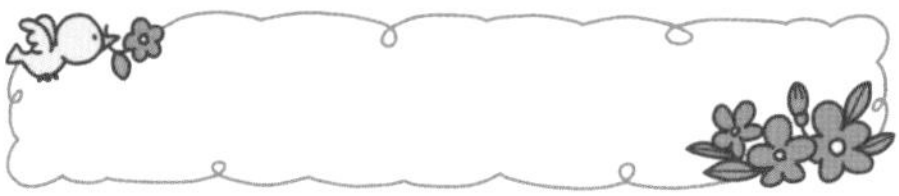
▲P12_201C

P12_201M ▶
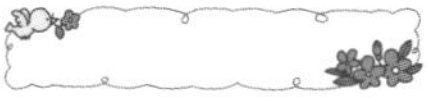

▲P12_202C

P12_202M ▶

▲P12_203C

P12_203M ▶

▲P12_204C

P12_204M ▶

▲P12_205C

P12_205M ▶

▲P12_206C

P12_206M ▶

▲P12_207C

P12_207M ▶

▲P12_208C

P12_208M ▶

▲P12_209C

P12_209M ▶

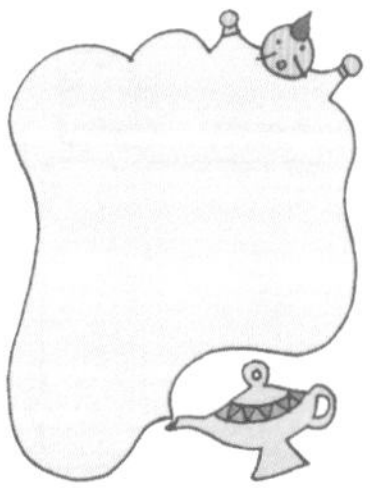
▲P12_210C

P12_210M ▶

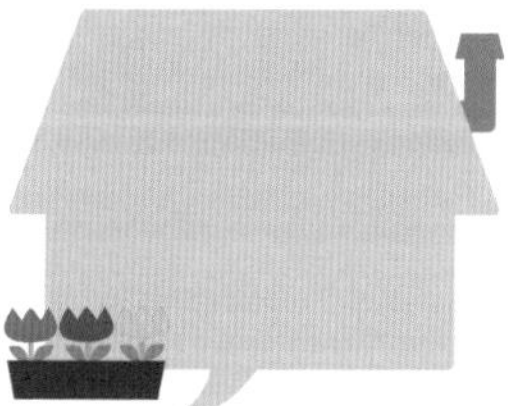
▲P12_211C

P12_211M ▶

▲P12_212C

P12_212M ▶

▲P12_213C

P12_213M ▶

▲P12_214C

P12_214M ▶

▲P12_215C

P12_215M ▶

▲P12_216C

P12_216M ▶

▲P12_217C

P12_217M ▶

▲P12_218C

P12_218M ▶

▲P12_219C

P12_219M ▶

▲P12_220C

P12_220M ▶

▲P12_221C

P12_221M ▶

▲P12_222C

P12_222M ▶

▲P12_223C

P12_223M ▶

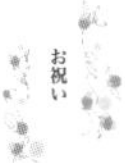

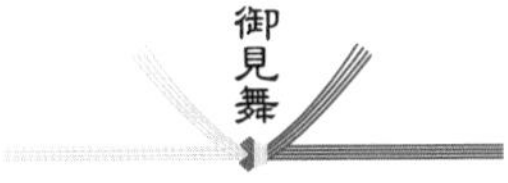

▲P12_224C

P12_224M ▶

▲P12_225C

P12_225M ▶

▲P12_226C

P12_226M ▶

▲P12_227C

P12_227M ▶

▲P12_228C

P12_228M ▶

▲P12_229C

P12_229M ▶
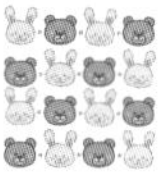

▲P12_230C

P12_230M ▶

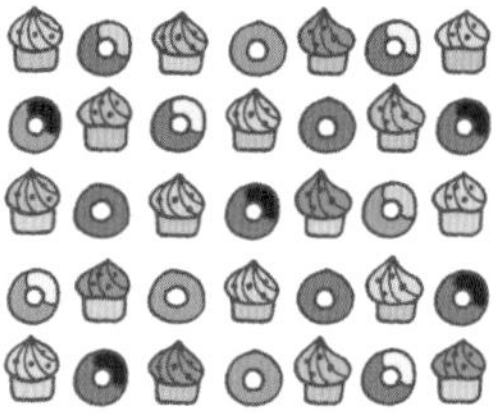
▲P12_231C

P12_231M ▶
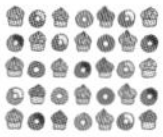

▲P12_232C

P12_232M ▶

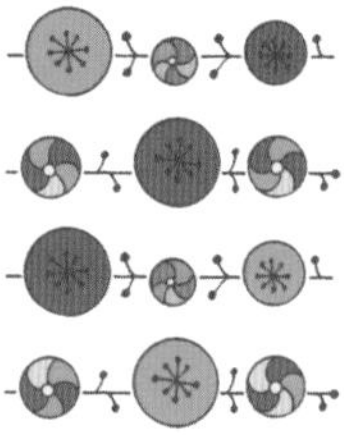
▲P12_233C

P12_233M ▶
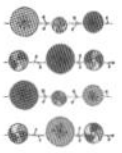

▲P12_234C

P12_234M ▶

▲P12_235C

P12_235M ▶

▲P12_236C

P12_236M ▶

▼P12_237C

▲P12_237M

▼P12_238C

▲P12_238M

▼P12_239C

▲P12_239M

▲P12_246C
◀P12_246M

▲P12_247C
◀P12_247M

▲P12_248C
◀P12_248M

▼P12_240C

▲P12_240M

▼P12_241C

▲P12_241M

▼P12_242C

▲P12_242M

▲P12_249C
◀P12_249M

▲P12_250C
◀P12_250M

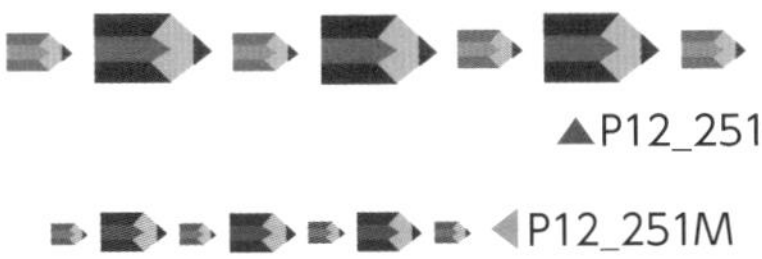

▲P12_251C
◀P12_251M

▼P12_243C

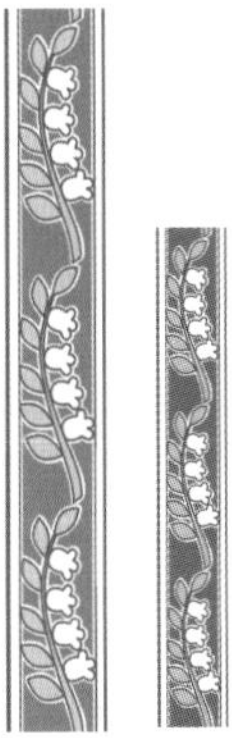

▲P12_243M

▼P12_244C

▲P12_244M

▼P12_245C

▲P12_245M

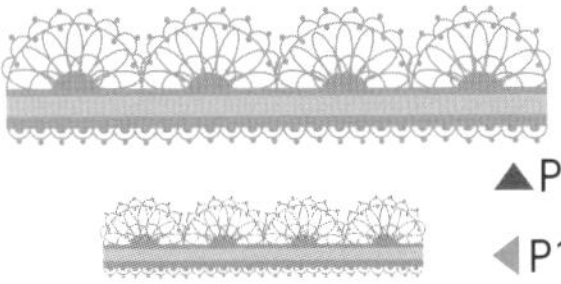

▲P12_252C
◀P12_252M

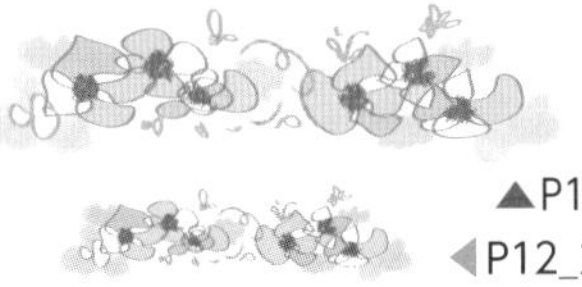

▲P12_253C
◀P12_253M

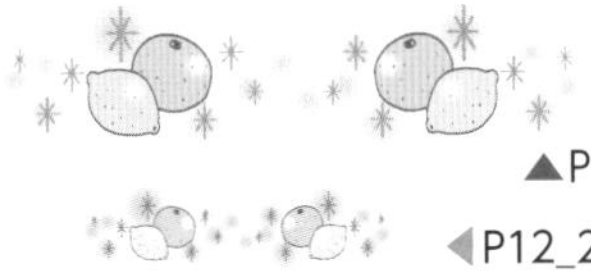

▲P12_254C
◀P12_254M

ひらがな①

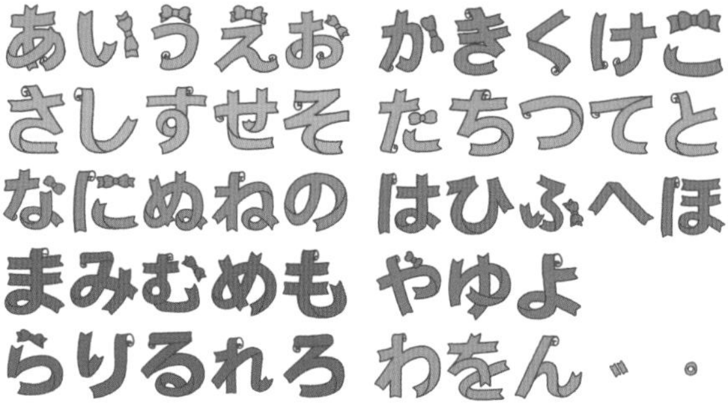

▲P12_255C〜P12_302C

P12_255M〜P12_302M ▶

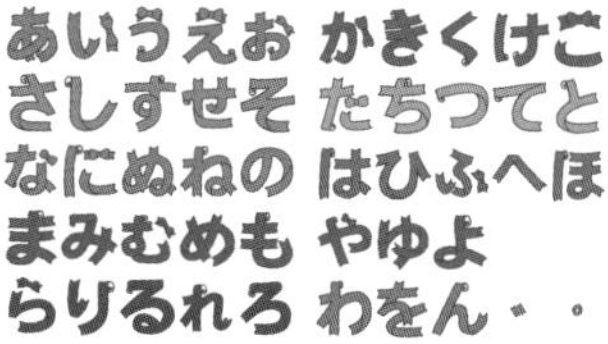

カタカナ①

▲P12_303C〜P12_350C

P12_303M〜P12_350M ▶

英字①

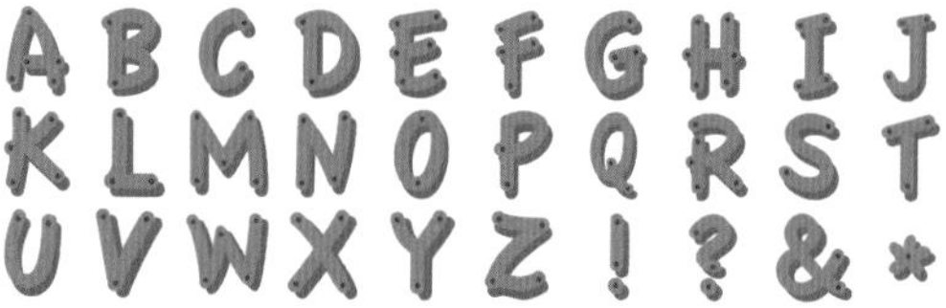

▲P12_351C〜P12_380C

P12_351M〜
P12_380M ▶

数字①

▲P12_381C〜P12_390C

P12_381M〜P12_390M ▲

ひらがな②

▲P12_391C~P12_438C

P12_391M~P12_438M▶

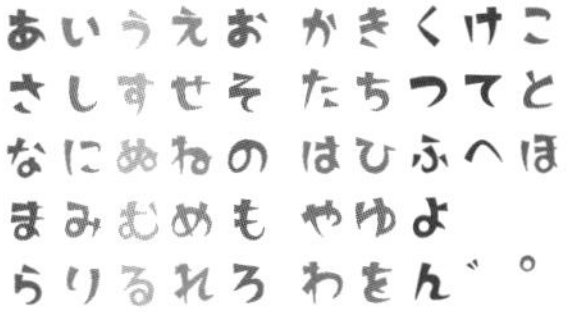

カタカナ②

▲P12_439C~P12_486C

P12_439M~P12_486M▶

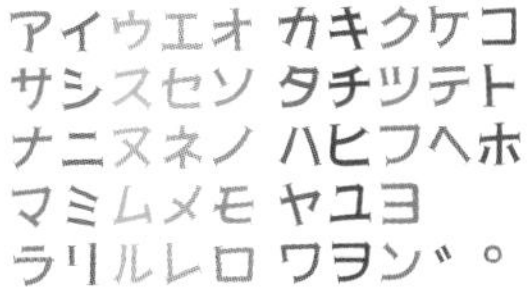

英字②

▲P12_487C~P12_516C

P12_487M~
P12_516M▶

数字②

▲P12_517C~P12_526C

P12_517M~P12_526M▲

索引

さ

た

な

は

ま

や

ら

わ

英数字

著者　グループ UYN《ウイン》

イラスト制作グループ。動物、人物、風景、静物まで、さまざまなタッチのイラストを制作。
書籍、雑誌から Web まで、幅広く活躍している。
ホームページ：http://group-uyn.com/index.html/
イラスト制作：グループ UYN（うかいえいこ　山口ヒロフミ　中浜香織
本田清美　高原めぐみ）

編集協力：大西智美
編集担当：柳沢裕子（ナツメ出版企画株式会社）

本書に関するお問い合わせは、書名・発行日・該当ページを明記の上、下記のいずれかの方法にてお送りください。電話でのお問い合わせはお受けしておりません。
・ナツメ社 web サイトの問い合わせフォーム
https://www.natsume.co.jp/contact
・FAX（03-3291-1305）
・郵送（下記、ナツメ出版企画株式会社宛て）
なお、回答までに日にちをいただく場合があります。正誤のお問い合わせ以外の書籍内容に関する解説・個別の相談は行っておりません。あらかじめご了承ください。

ナツメ社 Webサイト
https://www.natsume.co.jp
書籍の最新情報（正誤情報を含む）は
ナツメ社Webサイトをご覧ください。

透過《とうか》・拡大《かくだい》も自在《じざい》にできる!
DVD-ROM付《つ》き　決定版《けっていばん》　かわいいイラストカット集《しゅう》 11000

2021 年 3 月25日　初版発行
2023 年 6 月 1 日　第 2 刷発行

著　者　グループ UYN《ウイン》
発行者　田村正隆

発行所　株式会社ナツメ社
東京都千代田区神田神保町 1-52　ナツメ社ビル 1F（〒101-0051）
電話 03（3291）1257（代表）　FAX 03（3291）5761
振替 00130-1-58661
制　作　ナツメ出版企画株式会社
東京都千代田区神田神保町 1-52　ナツメ社ビル 3F（〒101-0051）
電話 03（3295）3921（代表）
印刷所　ラン印刷社

ISBN978-4-8163-6983-4　Printed in Japan